日本を危機に陥れる黒幕の正体
最新版

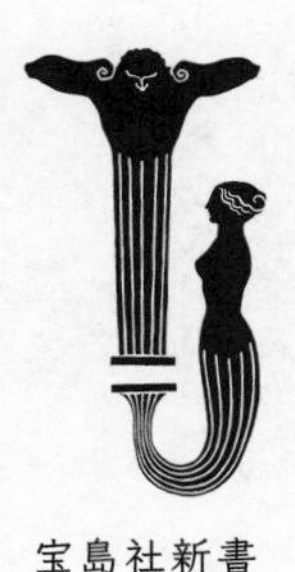

宝島社新書

はじめに

この一年で、岸田文雄政権の本質がわかってきました。ひとことで言えば、「売国政権」です。アメリカのバイデン政権と、そのバックにいるネオコンなどのグローバリズム勢力に、日本のすべての富を売り渡す政権なのです。

2022年末に、2023年度から2027年度の防衛予算を今までの1・6倍にあたる43兆円もの規模で組みました。それによって5年後には1兆円となる増税を決めるなど、日本国民に負担を強いることになっています。そして、防衛予算の主な使い道は岸田首相が自ら語るように「ミサイルと戦闘機」です。

日本ではミサイルと戦闘機は作れません。だから、結局、アメリカの軍事会社からミサイルと戦闘機を買うことになります。日本人の血税をアメリカの軍事会社に奪われることになるのです。

この防衛費の増額の背景にはウクライナ戦争がありました。軍事力の増強を図る中国がロシアと同じように日本に攻め込むことがないように、防衛費の増額が謳われたのです。

日本の防衛費も世界標準に合わせてGDPの2%にしようとなりました。

そして、今、そのウクライナ戦争後を狙って日本から富が奪われようとしています。

9月9日、岸田政権の林芳正前外務大臣は、キーウを訪問し、ウクライナのゼレンスキー大統領と会い、ウクライナ支援の方針を表明しました。楽天グループの三木谷浩史会長兼社長をはじめ企業関係者も連れての訪問でした。

そこで、林前外相はゼレンスキー大統領との会談で「官民を挙げてウクライナの復旧、復興を支援していきたい」と発言しています。

復興支援の名のもとに奪われる日本の富

確かに、復興支援という名目は美しいです。それが、本当にウクライナの人々のためであれば素晴らしいことです。しかし、本当にそうなのでしょうか。

各国がウクライナに提供した兵器の多くは、ウクライナ戦争の戦線に投下されたわけでなく、横流しされました。そして、どこかの国の兵器となり、その横流しで得られたお金は、ゼレンスキーはじめ政府要人たちの懐に入ったといわれます。

ウクライナはかねてから汚職で有名な国です。8月にも、戦争の真っ最中にレズニコフ国防大臣が汚職で更迭されました。そういう国に復興支援を供与しても、同じように中抜きされ奪われるだけです。

それだけではありません。ウクライナ戦争にかかわった欧米の国々が復興支援のもとにウクライナに群がり、ウクライナの資源を根こそぎ、自らの利権として収奪していくでしょう。

その一部でも得ようと、日本の企業も林前外相にのこのこついて行ったのです。彼らは、そのおこぼれの一部をもらえるでしょうが、ほとんどが欧米の国々に取られてしまいます。

そして、奪われるお金のほとんどは日本の富なのです。復興支援にかかるお金の多くは日本が負担することになります。9月8日の林前外相のウクライナ訪問時に、ウクライナとの間で、「日ウクライナ経済復興推進会議」を開催することが決まりました。日本の負担する金額は10兆円とも20兆円ともいわれています。いや、それにとどまらないでしょう。復興にかかるのは全体で100兆円を超えるのではないかといわれています。そのうち、どれだけ日本が負担することになるのか、わかりません。相変わらず、血を流さない支援しかできない日本は、ウクライナ復興のATMとして使われることになります。

そもそも日本は戦後、ずっとアメリカから収奪されてきました。戦後直後は日本人の主食の米食をパン食に代えられ、和食から、洋食にさせられました。それによって、日本の米作はどんどん減反されてきたのです。それは、アメリカで余った小麦を日本人に食べさせるためでした。穀物メジャーの標的にされたのです。

これまで、何度も打たされたコロナのワクチンもそうです。多くの国々でワクチンの弊害が認識され、国民の多くがワクチンを打つのを止めていきました。その中で日本は今や3回以上の接種者の人口比率がほぼ世界一となり、結果として、世界有数の感染大国になっています。ワクチンが免疫力を下げてしまうからです。

それでも、2023年の9月20日から新しいワクチンの接種がスタートしました。そのワクチンメーカーは相変わらず欧米のファイザー社とモデルナ社などです。そして、そのワクチンに何兆円ものお金が使われています。製薬メーカーに奪われたのです。

本書は、もともと、そのような日本から富を奪い、日本を危機に陥れている人々の企みを暴くものとして、２０２２年12月に単行本『日本を危機に陥れる黒幕の正体』というタイトルで発刊されました。今回の新書は、その単行本に最新情報を盛り込んで、最新版として構成しなおしたものです。

そして、単行本同様、駐ウクライナ大使であった馬渕睦夫氏と参政党前代表の松田学氏に、単行本の発売以降の情勢について対談していただきました。このはじめにで書いた内容がより詳しく説明されています。そこには、岸田政権がいかに日本をグローバリズム勢力に売りさばいているかが、はっきり話されています。

なお、新書の第一章が、２０２２年12月に発売された単行本から新しく変更されたところです。他の章にも新しい情報がありますので、読者の皆さんには、単行本にはあまり書かれていなかった岸田政権の危険性を再認識していただきたいと思います。

２０２３年９月20日

編集部

目次

第二章 ワクチンで日本を収奪したグローバリスト

第三章 ウォール街にマネー支配されている日本 107

第四章 グローバリズムvsナショナリズム

第五章 世界の構造と日本の向かうべき道

第一章　ウクライナ復興支援で奪われる日本の富

（2023年9月7日収録）

G7広島サミットで蚊帳の外だった岸田総理

編集部　現在の岸田文雄政権の問題点はどこにあるのでしょうか。

馬渕睦夫氏（以下、馬渕）　前回（2022年10月）、松田さんと対談させていただいた時に、2022年10月3日の岸田文雄総理の所信表明演説について、問題点を指摘させていただきました（詳しくは213頁参照）。あの時も岸田総理の演説にはグローバリズムの影響が色濃く出ていましたが、あれから、ちょうど一年です。

そして、この一年で、岸田政権の性格が、より明確になってきました。日本の総理にこんなことを言うのは失礼ですが、岸田総理は日本国を売り渡した。それが、私の偽らざる気持ちです。

誰に売り渡したかというと、この本でいう黒幕に売り渡したのです。今ではディープステートが陰謀論の類ではなく、実際に存在することが多くの方が認識するようになりましたが、そのディープステートに日本国を売り渡したと私には思えてなりません。

岸田総理は、ディープステートが命じるままに動いています。特に2023年5月19日から21日にかけて広島で開催されたG7（日本、アメリカ、イギリス、カナダ、フランス、ドイツ、イタリアの7カ国が参加する主要国首脳会議）では、そのことが如実に表れていました。G7広島サミットは、茶番劇でしかなかったのです。

彼は、どこまで気がついているかわかりませんが、このG7広島サミットでは、議長国であるにもかかわらず、岸田総理は全くの蚊帳の外でした。主役はグローバルサウス（発展途上国）と、サウジアラビアのジェッダからフランスの専用機で飛んできたゼレンスキー、ウクライナ大統領です。

※G7広島サミットではグローバルサウスといわれる国々の首脳が特別に参加していました。インドのナレンドラ・モディ首相、インドネシアのジョコ・ウィドド大統領、ブラジルのルーラ・ダシルバ大統領、ベトナムのファム・ミン・チン首相、コモロのアザリ・アスマニ大統領、クック諸島のマーク・ブラウン首相です。（編集部）

このゼレンスキー・ウクライナ大統領と、グローバルサウスとの首脳たちの対話がメインだったのです。岸田総理は2023年3月にウクライナに訪問されました。

電撃訪問といわれていますが、インドから煙に巻くように行かれました。その訪問時の、ゼレンスキー大統領との記者会見では、ゼレンスキー大統領は、G7広島サミットには来ないと、オンライン参加であると発表されていました。

それが急遽、オンラインではなく実際の参加。そういうことから考えても、岸田総理は蚊帳の外であったと言えるのです。このG7広島サミットで、岸田総理はいったい何をされたのか。

自らの選挙区、広島の観光宣伝をおやりになっただけです。なぜ、厳島神社に行く必要があったのか。厳島神社に行って、さらに、サミット会場でもみじ饅頭を食べられた。このためだけのG7広島サミットであれば、一国の総理としていかがなものかと、感じざるを得ないのです。

残念ながら、G7広島サミットで蚊帳の外に置かれたことに典型的に表れているように、日本は世界の動きから蚊帳の外に置かれ、アメリカのバイデン政権からいいように扱われているのです。それは当然です。岸田総理はバイデン政権を支えているディープステートと一緒にやると決めてしまったのです。

だから、バイデン大統領は日本に対して何も心配することはないと思っています。

Ｇ７広島サミットで日本と交渉する必要は全くありません。命令すればいいだけだったのです。

日本を分断するＬＧＢＴ法案

馬渕　自分の背後にいる人たちの言う通りに岸田総理はやってくれるのです。その一つがＬＧＢＴ法案です。２０２３年5月、突然、バイデン大統領がＧ７広島サミットに来ないと言い出しました。アメリカの債務問題で身動きが取れないと言い出したのです。典型的な脅しです。

これに驚いた岸田総理は慌ててＬＧＢＴ法案を国会に提出しました。議員法案という形にして責任逃れをしておられますけど、法案の内容も十分に詰めないまま提案しています。このような状態ですから、私は、このＬＧＢＴ法案は、ただ提案するだけで採決しないと思っていました。

しかし、そうではありませんでした。6月に採決してしまったのです。これで、日本は今まで以上に分裂させられてしまいました。

ＬＧＢＴ問題は個人の性嗜好という最もプライバシーにかかわる問題です。法律で一定の枠内にはめてしまうことには馴染みません。個人の生き方に対する介入です。個人の自由な生き方が憲法上の権利として保障されている日本では、憲法にさえ抵触する恐れのある重大な問題なのです。

このＬＧＢＴ法によって、差別のなかった日本で、強制的にＬＧＢＴが被害者に仕立て上げられ、マジョリティーとの対立を固定化されてしまうのです。

今後、公衆トイレ、学校、各種施設、温泉旅館などの、男女が関係する多くの場所で大混乱が発生するでしょう。さらに、大きな懸念は教育現場の混乱です。少なくとも、小中学生にＬＧＢＴ教育を施すことは学校側と保護者との間に軋轢を生み出すことになる可能性があります。

一挙に増えてきた外国人

馬渕　今、私の大きな懸念の一つが移民問題です。現在、外国人が非常に多く目につきます。どこから訪れているのか、何語を話しているのか、わからない人も多くいます。

なぜ、この時期に来ているのでしょうか。表向きの理由はコロナ禍がひと段落し、インバウンドを再開したということですが、旅行客でないような人まで来ています。そのような方の中には、そのまま日本に残り不法滞在者になっていく人もいます。これは杞憂かもしれません。しかし、私は非常に気がかりなのです。

以前、品川駅のプロムナードに、「共生社会の実現のために、外国人の雇用に協力ください」という垂れ幕が掛けられていました。外国人の雇用には労働ビザが必要ですが、岸田政権は不法滞在者でも積極的に雇用するようにと、推進しているように思えてならないのです。

メディアも盛んに人手不足を報道しています。飲食店やホテル、小売店は言うに及ばず小中学校の教員不足も報道されています。少子化で生徒数が減って、小中学校の統廃合が進んでいるにもかかわらず、なぜ、教員不足なのでしょうか。

その説明は、生徒数の減少に伴い新規採用数を減らしてきたからといわれています。しかし、私には非常に苦しい言い訳に聞こえます。私には、「外国人教員を採用しろ」という世論作りを狙ったものに思えるのです。

外国人教員に日本の教員不足の穴埋めをさせたらどうなるでしょうか。それも外国人不法滞在者だったら、どうなるでしょうか。日本の教育は徐々に外国人だけでなく外国人不法滞在者に蹂躙されていくことになります。

それが、今の岸田政権が行っていることです。それは不法滞在者をどんどん受け入れているバイデン政権のディープステートに言われたからだと思います。これによって日本を分断しようとしているのです。

松田学氏（以下、松田） 先生がご指摘の懸念はよく理解できます。岸田政権は、きつい言い方をすれば「売国政権」だという見立てをする人が極めて多い状況です。

馬渕 全く同感です。

G7広島サミットで停戦を訴えるべきだった岸田総理

松田 G7広島サミットについて、少しお話しさせていただきます。

日本にとってG7秩序は確かに大切です。しかし、日本の立ち位置はウクライナ戦争を継続させることではなかったはずです。ウクライナ戦争はヨーロッパの戦争で、日本は戦争当事国ではありません。だからこそ、日本は距離を持って見ることができるし、そのような立ち位置から停戦を主張すべきでした。

G7広島サミットでは、ウクライナ側に一方的に立って、F16の供与が決まったり、戦争支援でさまざまなことが決まったり、したわけです。そのお先棒を日本が担いでいいのか、と私は思います。

それも、原爆の被災地である広島という地で、戦争継続に加担してしまうスタンスをとってしまったというのは、非常に危ういと思います。私はあるジャーナリストから聞いているのですが、外務省の中にも、私が言ったような停戦を主張すべきだ、あるいはその道筋をつけるべきだということを提言する人たちはいたらしいです。平和国家としての日本独自の立場を打ち出すべきだという意見です。

しかし、アメリカから拒否されたということです。ウクライナ戦争で、ネオコンが中心となった大きな軍事産業のマーケットができました。その彼らの利益に奉仕するということを、日本の総理が広島という場所で明確にしてしまったのです。これは日本国家として、私は恥だと思います。あきらかに今の岸田政権は「バイデン従属政権」になっています。

ウクライナ戦争は、軍事評論家の見方によれば、ウクライナが負けるのは確実といわれています。反転攻勢といっても大きな戦果は期待できず、さらに領土奪還というのはほぼ絶望的な状況です。宇宙衛星の画像からも分析できるそうです。だからこそ、すでにＮＡＴＯ諸国は、ウクライナが敗戦した後どうするかを考え始めているといわれています。

その時に日本はどうなるのか。バイデンは日本をＡＴＭに使いたいと考えています。敗戦国の復興には莫大な費用がかかります。日本には10兆円ともいわれる相当の額を、負担させるつもりです。

２０２３年６月下旬に日韓の通貨スワップ（金融危機時に外貨を融通し合う仕組み）の再開が両国の財務大臣から発表されました。アメリカは韓国にもウクライナ復興支援の費用を出させようとしています。しかし、韓国ウォンは国際通貨として使えません。そこで、日韓の通貨スワップによって韓国ウォンを国際通貨に転換するサポートを日本にさせようとしたのではないかといわれています。

日米韓でこれからウクライナ復興支援対策を強化することが確実です。そのために、日本が膨大な費用を負担させられることは間違いありません。

しかし、そのお金がどこに行くかというと不透明です。日本では報道されていませんが、武器供与といっても実際に現場で使われたのは3分の1ぐらいで、他はどこかに流れてお金になっているといわれます。援助資金も、もともと腐敗で有名なウクライナのこと、ゼレンスキー大統領などの懐を肥やすことに回っている部分がかなりあるのではないかと噂されているようです。

そのような噂がある中で、日本が復興支援のATMになれば、日本国民の税金が何に使われるのかということになりかねません。

アメリカの軍事利権のための43兆円の防衛支出

松田　さらに、その前段として、2022年12月16日に、岸田内閣と国家安全保障会議は、安保三文書（国家安全保障戦略、国家防衛戦略、防衛力整備計画）を決定しました。そして、2023年度から2027年度にかけて43兆円の防衛支出を決めました。

岸田総理は、その16日の記者会見で、２０２８年度（令和９年度）以降、毎年１兆円の増税になることと、増える防衛予算は「戦闘機やミサイルを購入する」費用だと、いいきりました。

※「5年間かけて強化する防衛力は、令和９年度以降も将来に向かって維持・強化していかなければなりません。そのためには、裏付けとなる毎年度約４兆円の安定した財源が不可欠です。このため、私はこの春の通常国会から、防衛力強化の内容、予算、財源、この３つを本年末に一体的に決め、国民に明確にお示しするとの方針を一貫して申し上げてまいりました。

安定的な財源として、財務大臣に対し、まずは歳出削減、剰余金、税外収入の活用など、ありとあらゆる努力、検討を行うよう厳命をいたしました。結果として、必要となる財源の約４分の３は歳出改革等の努力で賄う道筋ができました。残りの約４分の１の１兆円強については様々な議論がありました。

私は、内閣総理大臣として、国民の命、暮らし、事業を守るために、防衛力を抜本強化していく、そのための裏付けとなる安定財源は、将来世代に先送りすることなく、今を生きる我々が将来世代への責任として対応すべきものと考えました。また、防衛力を抜本的に強化するということは、端的に申し上げれば、戦闘機やミサイルを購入するということです。これを借金で賄うということが本当によいのか自問自答を重ね、やはり安定的な財源を確保すべきであると考えました」（２０２２年12月16日の岸田総理の記者会見。首相官邸ホームページより）

この発言でバイデン大統領は大喜びしたはずです。その後の、2023年1月13日に岸田総理は訪米しバイデン大統領と会談しています。記者会見はありませんでしたが、発表された報道写真では、バイデン大統領は岸田総理の肩を叩いて、よくやってくれたという感じです。岸田総理は、バイデン大統領に「軍事利権に我々の税金を使って奉仕する」と言ったとさえ、思えるくらいです。

もちろん、防衛省や官僚の方々は、もっと真面目に考えていると思います。しかし、岸田総理の頭の中にはバイデン政権やネオコンに奉仕することが真っ先に浮かぶようです。ここに、岸田政権の特徴が表れていると、私は思います。

LGBT法で支持率が下がった自民党

松田　その後、2023年2月頃からLGBTの話が出てきました。馬渕大使がおっしゃるように、あっという間にLGBT法案が国会に提出され6月16日に成立してしまいました。そして、この間の6月13日には、岸田総理は解散を匂わすようなことをおっしゃって、「これほぼ間違いなく解散だ」という感じに永田町界隈ではなったのです。しかし、解散はしませんでした。

あの時点での解散が、政治戦略的には、明らかに岸田総理にとってベストのタイミングだったのです。当時の判断では、これを逃してしまうと解散ができにくくなるとされていました。10月1日から、零細事業者からは評判の悪いインボイス（従来の非課税業者を課税業者へと追い込む消費税徴収の厳格化）が始まります。年末になると来年度の予算編成が佳境になり国民負担増の問題が出てきます。時間がたてばたつほど、支持率が高まっている日本維新の会も選挙準備が整っていく。あのときが政治戦略的に解散のベストタイミングだと判断されていました。

彼はほぼ間違いなく、解散を決断していたと思います。それが急転直下したのは、最も正確といわれる自民党の世論調査で、間違いなく選挙に負けるという結論がどうもあがったらしいのです。

なぜ、そのような調査結果が出たかというと、ＬＧＢＴ法案で、急に支持率が下がったからだと言われています。岸田総理は、自分の解散戦略、政権戦略を犠牲にしてまで、ＬＧＢＴ法案を強行したのです。

私は、ここに日本の植民地化の流れが端的に表れていると思います。

岸田総理はエマニュエル駐日米国大使に言われて、ＬＧＢＴ法案の成立を強行せざるを得なかったのです。

※エマニュエル駐日米国大使をエマニュエル提督と呼ぶ人たちもいます。幕末のペリー提督になぞらえて、あえて、提督とつけて呼ぶのですが、間違いなく日本にとって、黒船のような存在といえます。エマニュエル駐日大使はＬＧＢＴ法案成立に絶大なる応援をしてＸ（ツイッター）に常に書き込みをしていました。（編集部）

しかし、アメリカでは、ＬＧＢＴに対する潮流は変わってきています。２０２３年に入って、８月までで非常に多くの反ＬＧＢＴ法が、アメリカの各州で成立しています。

それは、マジョリティーのお母さんたちが、子どもたちへのＬＧＢＴ教育に危機感を持ったからです。コロナ禍の間にお母さん方は、自分の子どもたちが家のオンラインでＬＧＢＴ教育をされている内容を見ていて、わかったのです。あまりにも公序良俗に反していることが。だから、お母さん方が立ち上がって大反対の流れになっています。特に共和党の州がそうなっています。

アメリカの潮流は転換しているのです。さらに、Ｇ７の国々の中で、ＬＧＢＴ差別を禁止する法律を持っている国はありません。カナダが就職における差別を禁止しているぐらいです。

岸田政権は、日本のメディアに、「ＬＧＢＴについて日本は世界の流れに遅れているから、Ｇ７広島サミットまでに、国際標準にしなければいけないんだ」という認識でしたし、日本のメディアもそのように報道していましたが、実際はそうではありませんでした。

支持率が下がってもＬＧＢＴ法にこだわる岸田政権の理由

松田　アメリカでは潮流が変わっていたにもかかわらず、岸田政権が進めた理由は何だったのでしょうか。これは状況証拠ですが、バイデン大統領にはＬＧＢＴ利権があるのではないか、といわれています。バイデン大統領の夫人もＬＧＢＴの団体に関係しているようです。

バイデン大統領としては、アメリカで潮流が変化する中で、あの日本もＬＧＢＴ差別を禁止する法律を制定した、自分が成立させたということを誇示したいのだと思います。日本はその材料に使われたに過ぎません。

しかし、そもそも馬渕大使もおっしゃっているように、日本はＬＧＢＴ差別を禁止しなければならない国柄ではありません。欧米では差別禁止という誰にも反対できない言葉で、国民の分断が引き起こされています。日本がそうなってはいけないのです。

子どもが、ＬＧＢＴ教育を受けること自体、おかしなことです。まだ性意識も確立していない子どもたちに、男女の性差というのは関係ないということを教える。女子トイレに男性が入ってくるとか、女性のお風呂に男性が入ってくるといったことが平気で起こるようになるばかりか、それを拒否すると差別だと指弾されてしまう。アメリカでは解雇される例も出ているくらいです。こんな非常識なことがまかり通る。

これは、ほとんどの女性にとって、いいことではありません。マイノリティーの権利をあまりにも主張するあまり、他のマジョリティーの女性たちが困ってしまうのです。

ＬＧＢＴ法が理念法だから、問題ないというのも嘘です。私も役人をやっていましたけれど、理念を法律にしてしまうと、実態が動いてしまうのです。

※LGBT法の正式名称は「性的指向及びジェンダーアイデンティティの多様性に関する国民の理解の増進に関する法律」といいます。性的指向・ジェンダーアイデンティティ（性自認）の多様性に関する施策の推進に向けて、基本理念や、国・地方公共団体の役割を定めたもので、理念法であり罰則はないとされています。（編集部）

馬渕　日本人には聖徳太子の十七条憲法にもあるように、「詔は受けてはかならずつつしめ」という精神が根付いています（詳しくは90頁参照）。

これは美徳でもあるのですが、一方、法案が理念法であっても、それが「詔を受けてはからならずつつしめ」の精神で、行政機関の下に行くほど、どんどん拡大していってしまうのです。ヘイト法でもそうです。

これが、地方も含めた日本の官僚組織の悪い点で、文句をいわれないために、そのような法案ができると、手厚い保護や補償政策をしてしまうのです。

松田　そうです。過剰適応してしまうのです。現場では、すでにLGBTの教材や研修や、そのような利権が動いています。結局、左翼利権と言いますか、それに手を貸して日本の健全な常識というのを害する事態になっているのです。
このように、日本の魂を売ってでもアメリカに奉仕しているのが岸田政権です。ですから、日本が、戦後ＧＨＱの占領を受けて、植民地化されましたけれど、さらに、植民地化を深化させているのは岸田政権といえると思います。

復興利権を巡って動き出した各国

編集部　ウクライナ戦争の今後はどうなるのでしょうか？

松田　アメリカの共和党が下院で多数を占めています。戦争を止めるべきだという意見も広がっていると聞いています。それ次第だと思います。アメリカ国民の間に、「なぜ、こんなに税金を使って戦争をしているんだ、おかしいじゃないか」と考えている層が増えているようです。
一方、軍事利権側は、ずるずると兵器を供与しながら、できるだけ長く戦争をしたいという意向があります。その方が儲かります。

しかし、実際の戦場でのロシア軍の壁は厚いので、ウクライナ側の死傷者は30万人以上に上っているといわれています。ウクライナ側は相当ガタガタになっていて、NATO側から助っ人に入っている軍勢もウクライナを見捨て始めたという話もあります。戦争を継続したくても、その能力自体が失われていく可能性もあります。そうなると、アメリカの世論と、武器供与側の思惑と、実際の戦場でのウクライナの継戦能力で、今後が決まってくるのではないでしょうか。

馬渕　2022年3月の段階で一旦、停戦の合意がなされたのですが、それを潰したのが、当時のジョンソン英首相です。ブチャの虐殺をでっち上げて潰しました。もともと、ゼレンスキー大統領のもとでのウクライナ軍の実力は高くありませんでした。ウクライナ戦争は彼のイニシアティブでやっているのではなくて、アメリカのネオコンに尻を叩かれてやっていたのです。

あまり報道はされていませんが、林前外務大臣はウクライナの訪問の前にポーランドに寄っています。なぜ、彼はポーランドに訪問したのでしょうか。

復興支援です。ずいぶん前からウクライナ軍は存在していません。だから、ゼレンスキー大統領はのんきに世界漫遊したりしています。今、反転攻勢などと言いながら戦っているのは、NATO義勇軍です。その中心になっているのがポーランドなのです。SNSではほぼ常識になっています。

このポーランドと復興支援を林前外相は話し合ったのです。NATO軍の中心になっているポーランドが、今まで払った犠牲の落とし前をウクライナにつけてもらおうということです。だから、話し合いの内容は復興支援という名の、いかにウクライナをズタズタにして搾取するかなのです。

ヨーロッパは戦争の拡大から回収に移っています。そして、その回収費用を日本に出せと言うわけです。話し合いと言っても、日本がいくらお金を出すか、いくら費用を負担するかの話です。「これから復興支援で日本に金を出させるからね。わかっているな」ということだと思います。

岸田総理は費用のことは考えずに、復興が日本の十八番と言わんばかりに大判振る舞いしていますが、これは、実は危険なことです。ウクライナの国民からすれば、各国の復興支援とは、自分たちの大切な財産を奪われることとイコールです。

ウクライナの復興利権を狙っているのは、ポーランドだけではありません。9月

7日には、ウクライナのキーウにブリンケン米国務長官が突然訪問しました。そこで話し合われたのも復興支援です。10億ドル（1400億円）のお金をアメリカは提供するとなっていますが、そんなはした金で復興などできません。

日本が負担する復興支援の額は20兆円とかいわれていますが、めちゃくちゃな額です。岸田総理は、それを引き受けますということです。これから、どんどん請求書が送られてきますよ。しかし、そんなこと知ったことではないというのが岸田総理の発想です。

そうなると、どうなるか。復興支援で何をするかというと、ウクライナの富を世界に売り飛ばすということです。有名なひまわり畑なども、どこかの国の企業が買うでしょう。ウクライナにある農地などの資源や金銀財宝や世界遺産になっている教会なども売られるでしょう。そうなると、ウクライナが消滅するということです。

そして、その費用のほとんどは日本のお金なのです。日本のお金でウクライナをズタズタにするわけです。日本はお金を出してウクライナ国民に恨まれることになります。ウクライナ消滅のお先棒を担いでいるのが、実は日本ということになるのです。

そんなばかばかしい話があっていいのでしょうか。

地殻変動が起こりつつある世界

馬渕　最近は、さすがに既存メディアも隠せなくなって、レズニコフ国防大臣が更迭されたことも報道されました。これも変な話です。戦争をやっている最中に国防大臣を更迭するのは、異常なことです。しかも後任の国防相がなんと、ルステフ・ウメロフというタタール系の人物です。

これはすごいことです。今までであれば、ネオコンの息のかかった人物がウクライナの国防大臣になっていました。ネオコンはユダヤ系の人物です。ゼレンスキー大統領もそうですが、ウメロフはそうではありません。

これは、これから起こることの地殻変動かもしれません。そうなると、バイデン大統領が想定し、日本の従っていたウクライナの売渡しが、そう簡単に進まない可能性もあります。

これから、ウクライナはネオコンから見れば危険な国民政権になる可能性もあります。一方、ウクライナから見れば、ウクライナ国民のための政権ができる可能性が出てきたわけです。

だから、日本政府はそれに備えなければいけません。だからこそ、無責任に復興支援をしてはいけないのです。この点を岸田総理にはしっかり認識してほしいと思います。

２０２２年９月にドイツとロシアを結ぶパイプラインのノルドストリームの破壊をアメリカが仕掛けました。ＣＩＡはロシアがやったと発表しました。しかし、アメリカの高名なジャーナリストのシーモア・ハッシュ氏が、バイデン政権が米海軍とＣＩＡ及びノルウェー海軍を使って爆発装置を仕掛けたことを２０２３年２月に報道しました。

彼はアメリカのしかるべき筋から、そういう情報をもらっているわけです。アメリカの中でも、じわじわとバイデン下しが始まっているといえます。

戦争はやめるべきであると、アメリカ国防総省の国益派を中心に広まっていると思われます。私は、ノルドストリームの破壊が転機になったと考えています。あれ以降本格的な停戦に向かって、アメリカ自身が動き出したといえるのです。

ノルドストリーム爆破のあと、アメリカのバーンズCIA長官がロシアのナルイシキン対外情報庁長官とトルコで会っています。2022年11月14日です。そこで、停戦の話をしたはずです。

翌15日、報道では、ウクライナがロシアのミサイルを迎撃したとなっていますが、その破片の一部がポーランドに着弾しました。これに対して、ゼレンスキー大統領はロシアがやったと、発表しました。しかし、アメリカが火消しに回って、ロシアではなくウクライナの迎撃が原因であるとしたのです。この事態はアメリカの底流が変わったことを示しています。

そして、公開情報を丹念に拾っていくと、この事件以降、急速にアメリカは停戦実施へ向け動き出していることがわかります。

追い詰められ始めたネオコン

馬渕　それから、ほぼ一年経ちますから、そろそろ結果が我々の目に見える形で出てくると思います。しかし、それに、全く気がついていない。関心すらないないというのが岸田総理です。これは由々しき事態です。

ウクライナ戦争はとっくに終わっています。現在の攻防戦は次のステップに行くプロセスに過ぎません。次のステップは停戦の実施です。

これから停戦協議に入ります。その協議の時に恐らく、ネオコン系のレズニコフ前国防相では具合が悪いということでしょう。もしそうであれば、この人事にアメリカ側の意図が反映されているとみられます。

要するにネオコンに変わる勢力が、アメリカ内で力を得てきている可能性があるのです。共和党の一部がトランプ前大統領の意を受けて、さかんにバイデン政権の腐敗を追及していますが、それがバイデン自身にも及びつつあります。レズニコフは汚職で解任されたのです。誰と汚職をやっていたかといえば、バイデン政権に巣くう武器商人達です。

しかし、これらのことは、日本人にはなかなか伝わってきません。それはメディアをディープステートが握っているからです。

一方で、メディアはロシアの軍事会社ワグネルのプリゴジン氏が飛行機事故で亡くなったことをひっきりなしに報道していました。

私はこの事件を深追いしても仕方ないと思っています。所詮、民間軍事会社の話です。彼らは自分たちの会社の利益のためならなんでもやりますし、利益にならないことはやりません。会社の利益と国益が反することはよくあります。そのため、ロシア軍と軋轢が生じたということに過ぎません。

プリゴジン氏は、まだどこかで生きているという説もありますが、どっちであってもワグネルの運命は終わっています。ウクライナにもアゾフという私兵が政権に入っていましたが、これも今度の戦争で事実上、壊滅してしまいました。

厄介者の多くが消えて、唯一残っているのがネオコンです。

そして、ネオコンもウクライナでの国防相の交代に見られるように、追い詰められているのは間違いないでしょう。

ここで、多くの人々が、気がつく必要があります。ネオコンは世界を破壊する連中であると、私たちは、ネオコンの言う通りにはならないということをしっかり認識すべきだと思います。

ロシアの状況も変わりつつあります。日本がつれない対応をしても、ロシアは日本を捨ててはいません。私の知り合いが、9月末からロシアに行きます。日本は、あれだけロシアに対してひどい制裁を科し、日本のメディアは非難をしていますが、ロシアはオープンなのです。ロシアはウクライナ戦争後をにらんで、自分たちがどうふるまっていくべきかを考え、十分布石を打っているのだと思います。

G7秩序より大きくなる可能性があるBRICS秩序

編集部 ロシアに欧米諸国が経済制裁を科していますが、今年の第2四半期のロシアのGDPはプラスに転じたようです。実際のところはどうなのでしょうか。

馬渕 経済制裁がありましたから、経済的には、一時は落ち込みました。しかし、ロシアは石油や天然ガスが出ます。どの国もエネルギーは必要ですから、世界が買ってくれるわけです。天然ガスがなくなれば、ヨーロッパは干上がってしまいます。ヨーロッパはいまだに、それらを買っているわけです。

松田 経済制裁の結果、西側にとってよくないことが起きています。経済制裁を尻抜けしてロシアは、安い価格で中国やインドに原油を売っています。そして、インドに入った原油が迂回してヨーロッパなどに売られているわけです。

だから、ロシアの貿易額は増えています。モスクワに行った方に聞くと、街は豊かだし、なんでも手に入るし、ニューヨークよりも物価は安いし、戦争の影響はほとんど感じられない、といいます。これが実態です。

それで、逆に何が起きたかというと、G7秩序の弱体化です。ロシアはドル建て決済が主流のSWIFT（スイフト）から排除され、外貨建て資産が凍結されました。そのため、ロシアにとってドルには頼れないとなり、2023年8月22日にはBRICS（ブリックス＝新興5ヵ国＝中国、ロシア、インド、ブラジル、南アフリカ）首脳会議が開催されましたが、ロシアはバスケット制の新しいブロックチェーンを使ったBRICS共通通貨の発行を提案しました。

かたや中国は、人民元決済をBRICS内外で広げつつあり、今回の首脳会議でBRICSへの加盟が決まったアルゼンチンは、中国との貿易決済に人民元を導入することになっています。

このような非ドル経済が現在のBRICS以外の国にも拡大していくこととなれ

ば、G7秩序とは異なるBRICS秩序が力を増していくことになるでしょう。

かつて世界のGDPの6割を占めていたG7の国々のGDPは、新興・途上国の台頭で、現在は4割くらいにまで縮小しています。今後、BRICS秩序がより大きくなれば、いずれG7秩序を追い抜くかもしれないと言われるところまで来ています。そうなると、世界はG7秩序で動いていると日本は考えて続けていていいのだろうか、ということです。

そして、アメリカの中でもバイデン政権を動かしてきたグローバリズム勢力に対抗する新たな勢力が力を増していく形で潮流変化が起こっているとするならば、一番いけないのは、バイデン政権べったりでやっていくことです。これでは、泥船に乗って一緒に沈んでいくことになりかねません。

2024年の大統領選によっては劇的に変わるアメリカ

馬渕　2024年の11月5日のアメリカの大統領選挙がどうなるか、そこで、トランプ前大統領が晴れて復帰するようになると、世界は一瞬にして変わります。

そうなると、トランプとプーチンの協力関係が実現します。その時、日本はどうなるのか。外務省の中には、そこまで考えている人間はいるはずですが、もし、そうでないとすれば、少なくとも、今から考えておかないといけません。

突然、日本にとってのパラダイムが全部崩れた時に、どのように日本は生き延びていけばいいのか、生き残れるための大きな選択を迫られると思います。

松田　日本は、すぐそばに核保有国3カ国を抱えて、その最前線にいる国です。一方、後ろにはアメリカがいます。しかし、そのアメリカは「アメリカの崩壊」といわれ、分断が進んでいる。中国よりも民主主義でなくなっているともいわれています。トランプ前大統領の起訴の状況を見てもそうです。

日本では検察とか司法は公正で中立的なものと信じられていますが、米国では検察官も政治資金を得ながら選挙で党派的に選ばれています。いま言われているのは、連邦政府機関のバイデン政権による「武器化」(ウェポナイズ)です。この点は日本のメディアが報道しませんが、このことを知らないと、トランプ氏を支持する日本人が「陰謀論者」とレッテル貼りをされるようなことが起きてしまいます。「陰謀論」批判をする人たちは、世界の実態を知らないだけではないでしょうか。

トランプ氏の起訴はバイデン政権と連邦政府によってしかけられたものであることを、多くのアメリカ国民が知っているからこそ、起訴されるたびにトランプ氏の支持があがっているわけです。アメリカでは分断と民主主義の崩壊が進んでいます。

日本のメディアも、メディアを通じて情報を得ている多くの日本国民も、いまだにアメリカは自由で公正で民主主義の国だと考えていると思いますが、実際には、その幻想は全く崩れています。

アメリカは外交・軍事面で、これまで何度も戦略の失敗をしてきた国だと思います。今回のウクライナ戦争とロシアへの制裁も、その意図とは逆にロシアを含むBRICS秩序、あるいは全体主義色が強いユーラシア秩序といいますか、そういうパワーを大きくしてしまっています。長期的に見ると、ウクライナ戦争でアメリカは大失敗をしているのではないでしょうか。

そういう時に日本は独自の立場で、アメリカを諭すことができるようにならないといけないと思います。いつまでも従属し、なんでもかんでも素直に意のままに動いているのではなく、同胞として、真のトモダチとしての働きをすべきです。

それが実現できるかどうかは別にしても、そのような関係性をアメリカとの間で作る必要があると思います。もし、トランプ氏が来年の大統領選で復帰したら、それは日本のチャンスになるはずでしょう。かつての安倍氏のように、そのチャンスを活かす政治家が日本にいるのかどうか疑問ですが……。

崩壊が迫る中国

馬渕　私が、いま心配するのは中国がどうなるか、です。中国の崩壊がいつくるのか、です。なかなか中国の正確な情報は入りません。入ってきても歪曲されているものが多いのです。日本の保守と称する人でも、中国シンパが多く、情報をゆがめてしまいます。

それに備えて軍事力も強化しなければならないと思います。しかし、アメリカは当てにできません。2023年8月18日に、日米韓の3カ国の首脳会議がキャンプ・デービッドで開かれましたが、あれは何を意味するかといえば、今度有事が起こるとすれば、その一つが朝鮮半島有事だということです。

だから、そのために日米韓で協力しようということですが、私は、朝鮮半島の有事があっても、アメリカは我々を助けてはくれないと考えています。アメリカは我々を助けません。これは断言してもいいほどです。理由は、アメリカは核を日本に渡していないことです。韓国にも渡していません。

核はアメリカが面倒見ますから、お前たちは心配するなという、こんな当てにならない約束はないのです。だから、有事になったらアメリカは介入しません。中国と核戦争を引き起こす可能性のある戦いなどに介入しません。

私は、日本が独自の軍備増強をやるのであれば、アメリカの核は当てにならないという前提で考えなければならないと思っています。ところが、日本は核武装ができません。核兵器を作り出す能力はあると思いますが、日本の世論がそれを許しませんし、国際環境的にも難しいからです。

だからこそ、核兵器を無力化する兵器というものを自衛隊は、企業でもかまわないので開発すべきであると思います。一説には相当開発されているという噂もありますが、本当にできれば世界の軍事バランスは、大きく変わります。日本の役割はそういうところにもあるわけです。

それができれば、中国の崩壊も軍事的には怖くありません。

松田　日本ではあまり報道されていませんが、中国経済は相当に深刻です。リーマンショックはアメリカから起こり、中国が財政出動をして世界経済を救いました。そしてその後、「世界の中国化」ともいえるほど中国の覇権的パワーは強まりました。しかし、今度は中国が世界経済を大混乱させる番でしょう。

このところ不動産開発事業の破綻が懸念され、いよいよバブル崩壊、「バランスシート不況」と言われ始めている中国経済の破綻は、不良債権の規模がリーマンショック時の10倍とも言われるだけのインパクトを世界経済に与えることが考えられます。特に、中国への輸出依存度が高く、中国からのインバウンドに頼る日本経済に与える影響は甚大です。

そこは経済への統制力の強い中国のこと。これまでもバブル崩壊の懸念を乗り越えてきたのですが、今回はちょっと、これまでとは様相が違うようです。ある中国経済の専門家は、世界的な経済ショックの引き金となるのが、今回は習近平の独裁体制による中国政府の機能不全だとしています。

確かに、昨年の共産党大会で胡錦濤前国家主席だけでなく、経済に詳しく政策運営の要だった李克強首相を辞任させた習近平は、粛清に次ぐ粛清で側近をイエスマンだけで固めてきた人です。おかげで、これだけの経済危機に経済運営のできる人材が政権には不在で、なすすべもない状態だそうです。この独裁者も北戴河会議で長老から叱られるほど内政はガタガタで、それへの対応に追われ、中国の地政学戦略にとって重要な場であったはずの今回のG20サミットにも欠席し、インドと米国に、一帯一路に対抗する新たな地政学戦略案で押されてしまったようです。

日本経済はバブル崩壊後、一貫して海外経済への依存度を高めてきました。リーマンショックの時の実体経済の落ち込みも先進国最大でした。今回もこうならないことを願うものです。

内政面がガタつくと、国民の関心を外に向けるのが中国です。今回の福島処理水をめぐる中国の異常ともいえる対日批判もそうでした。では、中国が台湾に侵攻するかといえば、する可能性は低いのではないでしょうか。

いま、アメリカの戦力はウクライナに割かれていますから、極東向けに配備する兵器もウクライナに行っています。その隙をついてやるという説もあります。しかし、中国に台湾を占領できる力があるかどうか疑問です。

馬渕　一つは力の問題。もう一つは台湾をわざわざ併合しなくても、今のままでいいという意識があります。

台湾有事より危険なのは日本有事

馬渕　習近平が台湾を解放しても、習近平の手柄になりません。毛沢東を超えたことにはならないのです。1950年1月アチソン国務長官は「台湾と韓国はアメリカの防衛線の外だ」と演説しました。つまり、アメリカは台湾の安全保障に関心がないと宣言したのです。この時から、台湾は中国のものなのです。習近平がもし、毛沢東を超えようとするならば、日本を征服することです。日本に対する侵攻です。だから、起こりうるのは台湾有事より日本有事です。中国には日本を攻撃する根拠があります。それは国連憲章にある敵国条項です。日本は敗戦国として連合国に入れてもらっているのです。国際連合というのは間違いで連合国です。

ユナイテッド・ネイションズ。戦勝国の集まりです。

松田　国連とは連合国秩序ですね。

馬渕　その敵国条項は生きているのです。形式的には意味はなくなったと国連総会の決議ではなっているのですが、憲章から消えてはいません。いつでも、援用できるし、ロシアが北方領土交渉の時に脅迫に使っています。

これは、私が出席した会合で直接聞いた話ですが、ロシアのラブロフ外相が、北方領土交渉の時に敵国条項を持ち出しました。安倍元総理とプーチン大統領の間で2島返還で行こうとなり、あとは外相レベルで具体的な条文を作らせるとなった時、ラブロフは敵国条項を持ち出してきたということです。

外務省は、その敵国条項を想定していなかったので、上手く対応できなかったようです。国連の常任理事国、戦勝国は、敵国条項を持ち出すことができます。だから、中国が日本の軍備増強はけしからんと、敵国条項を援用して、日本を攻撃しても国際社会は黙っていると思います。

松田　私は、事実上、中国による日本侵略は始まっていると考えています。私たちは中国の土地を買うことはできませんが、中国は日本の土地を買うことができます。WTO上の留保というのを、他の国ではたいていつけていますが、日本は珍しくつけてない国の一つです。だから土地は買い放題です。

相互主義というのがありますから、中国の土地が買えないなら、日本の土地を買ってはいけないというのが本来の筋なのに、留保や相互主義について参政党が質問主意書で政府に質すと、外務省から返ってくる答弁は「質問の意味がわからないから、答えられない」……。

国を守るべき日本政府のスタンスとして大丈夫なのか、国民の不安に応えようともしない答弁です。政府がこうでは、やられる一方です。そこを変えるには、国民が国を守るということについて、しっかりした意識を持つ必要があると思います。

愛媛県西条市丹原というところに150haの農地があります。日本を代表する水源地です。そこがいつの間にか、中国系によって買収が進んでいます。それに対して参政党の地元の人たちが立ち上がりました。

調べてみると、どうも買収する側と行政との癒着もあるようで、さまざまな圧力がかかりました。中国側は、耕作放棄地を通常の10倍の値段で買ってくれるそうです。何も考えなければ、売ってしまうでしょう。

しかし、参政党の党員たちの働きかけで、150haのうち、一定の面積までで、いったん買収はとまっているようです。地元の人たちも、素晴らしい私たちの故郷をウイグルのようにしてはいけない、中国に売ってはいけないという意識になっていただけたようです。だから、国民がどういう意識を持つかによって、変わってくると思います。西条市は、その一つの実例だと思います。

現地に行くと、買収されたところは日本人は入れなくてフェンスで囲われていました。さらに、上にシートがかかり、上空からも何が行われているかわかりません。

中国の侵略の手順は、まず、水や食料、土地やエネルギーを押さえていきます。エネルギーも、メガソーラーであるとか、最近では洋上風力であるとか、国会議員と癒着があって、そこに中国が絡んでいるケースが多くあるようです。

さらに、それらの土地や関係する地域に中国人が住み、定着するようになります。そして、中国には国家情報法や国防動員法があります。特に有事になれば、日本に定着した中国人はそれに従う義務があります。日本国内でどんな混乱が引き起こされるかわかりません。

いまだに終わっていない新型コロナワクチンの接種

編集部 第一章の最後に、コロナの現況について、松田さんから語っていただきたいと思います。

松田 コロナは2023年5月に5類に引き下げになって、平時に戻っているということですが、いまだに、日本政府はワクチンの接種を続けています。世界の多くはすでに昨年の段階でやめています。

それでも、ここでも製薬利権というグローバル勢力と結びついているバイデン大統領が、新しいオミクロン株XBB対応のワクチンを国民全員に打たせようとしています。ただ、アメリカ人はそうはいかないだろうと、言われています。ちなみに、ファイザー、モデルナの今年の1四半期の利益はガクンと落ちています。

ところが日本だけは世界の正確な情報が入らない「情報鎖国状態」のもと、グローバルなワクチン利権にとっては最後のおいしい市場と位置付けられています。

そして、いまだに、それに反対すると反ワクカルトという方が相変わらずいます。さすがに最近では、新型コロナワクチンの危険性を指摘する報道も現れてきました。医師会もついに、すべての人にワクチンを打たせる必要はないと、言い始めました。そして、ワクチンで体調が悪くなった人を、我々はケアしなくてはいけないんだと、言っています。

これは、我々が2年ほど前に言っていたことと同じです。決して我々が反ワクカルトでなかったことが証明され始めています。他にも、今までワクチンを推進していた人たちが責任逃れのために言い方を徐々に変えています。

ところが犠牲者は日々出ています。亡くなっている方はたくさん出ています。国を信じて打った犠牲者です。

メディアの役割は、政府が言うことに対しても、きちっと問題提起することであるはずです。こと新型コロナやワクチンについては、大手メディアは全く、このことをやってきませんでした。このままいけば、今後、ワクチンの責任問題についても、うやむやにされていくでしょう。「黒幕」たちによって次のパンデミックが用意されているという話もあります。

ここで私たちが警戒を強めなければならないのが、2024年5月のWHO（世界保健機関）の総会への提出が目指されている国際保健規則の改正とパンデミック条約です。これに対しては、米国の連邦議会や欧州でも国家主権を侵害するものとして反対の声が上がっていますが、日本ではほとんど議論されていません。政党では参政党ぐらいでしょうか。この改正や条約によって日本を含むWHO加盟国は、パンデミックに際してWHOが勧告する保健措置に従うことを法的に強制されることになります。もちろん、国民がワクチン接種証明なくしては大幅な行動制限を受けることも含まれます。国家主権だけでなく人権侵害にもつながります。

今回のコロナ騒動で、PCR検査で自由自在にパンデミックを演出できることも証明されました。財源の大半を「ビルゲイツ財団」を始めワクチン利権と結びついている民間資金に依存するWHOの指示によって、強制力を持つ理不尽なワクチン接種や新薬の強制投薬が可能となるとすれば、これはグローバリズム勢力による「陰謀そのもの」とすらいえるでしょう。

各国の主権や独自性を否定し、それぞれの民主主義を超えて強制力を持つ「世界政府」が人類を一律的にコントロールする……まさにグローバリズム全体主義が帰結する「ディストピア」の世界へと大きく歩み出すことになりかねません。

この動きに乗せられないよう、まずは日本人一人ひとりが、今回のワクチン接種のからくりについてしっかり認識しなければならないと思います。

編集部　第二章では、ワクチン接種のからくりについて、詳しく説明していますので、読んでいただければと思います。２０２２年10月収録の対談です。

第二章　ワクチンで日本を収奪したグローバリスト

（２０２２年10月収録。一部、２０２３年９月の状況に合わせて修正）

ロシア風邪と中国人の来日で免疫があった日本人

編集部　新型コロナウイルスのワクチンについて松田さんは問題提起をしていました。それはどうしてでしょうか。

松田学氏（以下、松田）　２０２０年の春先から、日本では新型コロナウイルス感染の大騒ぎが始まったのですが、人口当たりの死者数や感染者数は欧米に比べて桁違いに少なかったのです。それには理由があって、まず、１３０年前に日本でロシア風邪が流行って以来、コロナウイルスが日本に定着し、それは私たちが子どもの頃から普通にかかる風邪となっていました。ロシア風邪は東アジアでは流行したようですが、欧米では流行りませんでした。

新型コロナウイルスが感染するスタート時点で、日本と欧米などとは、免疫という点で圧倒的な差があったのです。

さらに、日本は、中国人の来訪を全面的にストップしたのが、欧米に比べて遅れました。1カ月ほど遅かったのです。春節で中国人が日本に何十万人も入ってきました。その時は、まだ弱毒性のコロナウイルスで、日本中の人がかかりました。これに対する集団免疫ができていたのです。2020年の1月から2月頃にかけて、普段より鼻風邪が長引くなあと感じた人が多かったと思います。

そのあと、いわゆる武漢型の新型コロナウイルスが入ってきたわけですが、当時の日本人はもともとロシア風邪以来の土着のコロナと中国からの弱毒性のコロナで免疫ができていたのです。

欧米は早いうちに中国からの来訪をシャットアウトしたために、弱毒性の段階でもコロナの入り方は十分なものではありませんでした。だから、欧米では免疫ができていませんでした。

そのことを、当時、京都大学大学院の特任教授をされていた上久保靖彦先生が、すでに日本人には「集団免疫がある」という形で解き明かしています。

それを当時の安倍晋三総理も加藤勝信厚労大臣（当時）も上久保先生から聞いていて、お二人はそのことをよくご存じだったようです。日本は大騒ぎしすぎだと認識していたはずです。

ところが、メディアが新型コロナウイルスの危険性を煽って、煽って、煽りまくりました。日本人がみな、「コロナ脳」になり、とにかくコロナが怖いとなってしまったのです。「欧米であんなに死んでいる」と、煽られました。

最初に緊急事態宣言が出た時には、陽性者数はすでにピークアウトしていました。火事が終わった後に消防車が駆けつけたようなものです。ですから、緊急事態宣言は全く意味がありませんでした。

それから、マスクもあまり意味がありませんでした。新型コロナウイルスの大きさはものすごく小さくて、マスクの穴の50分の1だとされています。やすやすと通ってしまいます。

新型コロナ騒動は日本人を従順な羊にした

松田　意味のない規制に、いつの間にか、欧米と比べてなんかおかしいなと感じながらも従いながら、メディアが真実を伝えませんから、日本人は、新型コロナウイルス騒動に巻き込まれてしまったのです。

上久保先生や大阪市立大学医学部名誉教授の井上正康先生など一部の学者は、早くから警告を出していました。しかし、そういう警告をメディアは全く無視して、とにかく「新型コロナは怖いんだ」という専門家しかテレビに出さないのです。

新型コロナウイルスについて「私、今の流れと違うことを言います」となると、テレビ側から「では、出ないでください」となったそうです。これは、何か大きな力が働いていると思わざるを得ない状況が当時からありました。

そして、日本人にも、何かおかしいなと思っている人もいました。欧米であれだけ患者が亡くなっているのに、自分の周りでは亡くなっている人がほとんどいないのです。

確かにタレントが亡くなるとメディアが大騒ぎし、それも日本国民の恐怖感を煽りましたが、だからといって、自分の周りには亡くなっている人はほとんどいなかったはずです。

だから、なんか変だなと思う人たちがいましたが、結局、メディアが作り出した空気に巻き込まれてしまいました。

新型コロナ騒動は、日本人を従順な羊のようにする一種の練習みたいになっているのではないか、そう思わざるを得ないことが多々ありました。

日本人にとって、それまでの常識では考えられないこともありました。お盆の帰省を、実家の両親が「帰ってくるな」と止めたりしていました。

新型コロナを巡る差別も起きました。

危機になれば団結する日本人の、あの東日本大震災時の日本人の連帯と協調の精神、世界中が共感したあの日本人は、どこへ行ってしまったのか。

こんなジョークもありました。ある有名な方が、レストランに一人で入ったのですが、そこには「食事中以外はマスク着用のこと」と書かれていたそうです。

そして、食前酒が出たので、飲もうとしてマスクを外したら、ウエイターから「食前酒なので（食事中ではないから）、マスクを外さないでください」と言われたそうです。

これはジョークではなく、本当の話らしいです。「自粛警察」という言葉まで登場しました。

このように日本人にとって、今までの常識では考えられないことが起こったのです。たとえ理不尽な統制であっても、何か起きた時に統制しやすい日本人を作るための実験じゃないのかなと思わせるものがありました。

感染の波は集団免疫で収まる

松田　新型コロナウイルスは、その後も何回も波が来て、今（2022年10月）第7波といわれています（2023年9月現在は第9波といわれている）。

以下、私はこの分野の専門家ではありませんが、最初は上久保靖彦先生に、その後は井上正康先生に、私が営んでいる松田政策研究所の動画チャンネルで継続的にコロナやワクチンの問題について医学的見地から発言を続けていただきましたので、その知見に基づいてお話しします。

まず、人間の身体の多くはウイルスでできています。ですから、ウイルスは最終的には人間と共存するように変異していきます。人間の側で免疫力が低下すると発症することがあっても、普段は何も悪さをしないウイルスとの共存状態が達成されます。それは人間の側でウイルスに対する「免疫訓練」が行われるからです。

感染者が広がれば、感染者数の波が高くなります。いずれ、それで集団免疫ができます。新型コロナウイルスは、ほとんどが無症候感染です。知らないうちにみんなかかっています。みんなに免疫ができています。集団免疫ができるとストーンと感染者数が減ります。

ストーンと波が下がった時の報道で、集団免疫で下がったということが報道されたものを見たことがありません。免疫学の世界とか、感染学の基礎知識をわかっている人にとっては、このことは常識中の常識のようなのですが。

しかし、これを絶対にメディアは報道しません。そして、マスクをしたからとか、最近ではワクチンを打ったからだと言います。

ワクチンを打ったからではありません。オミクロン株になってから重症化しなくなったのです。ワクチンを打ったから重症化が減ったのではないのです。

集団免疫ができて、ストーンと感染者数が落ちるのですが、ウイルスのほうも人間と共存したくて、さまざまな変異株が次々に現れます。その中で、前にできた免疫をくぐりぬける、より感染力の強いウイルスが現れると、次の感染の波が来るのです。

これを繰り返していくので、次の波が来るたびに波が高くなります。陽性者、感染者数が多くなってきます。これは当たり前の現象なのです。

そのかわり、重症化率はどんどん下がっていきます。最終的には、人間の側で、何度も免疫訓練が行われてウイルスに対する抵抗力が強まっていって、ウイルスは普通の風邪になってしまうのです。

弱毒化とは人間の免疫力が高まっているということなのです。ウイルス感染症に対抗するには、結局、人間の免疫力を高めるしか方法がありません。ほかに全く方法がないのです。だから、ウイルスに何度もかかることによって、免疫力を高める方向に進むしかないのです。

オミクロン株はデルタ株以前の新型コロナとはかなり違う

松田　今回の新型コロナウイルスも2021年の秋ごろからオミクロン株になりました。このオミクロン株は、デルタ株以前のものとかなり異なるものです。
人間はものを食べた時に唾液がたくさん出ます。唾液の中には免疫物質が多く含まれています。これによってウイルスを撃退しますが、くぐり抜けるものもいます。

ものを食べた時、例えば、フランスパンを食べた時を思い浮かべていただければわかると思いますが、口の中に目には見えない小さな無数の傷ができます。その傷口からデルタ株以前の新型コロナウイルスは入っていたそうです。

血管の中には壁があります。そこにはＡＣＥ２というレセプター（受容体）がありまして、そこからウイルスは入って感染していくのですが、その時、血管の壁に傷をつけて血栓ができます。

その血栓が体中に飛ぶことによって、肺に行ったら間質性肺炎になり、脳に行くと倦怠感が出たりして、さまざまな症状を引き起こすものだったそうです。

つまり、デルタ株以前の新型コロナとは、もともと血栓の病気でした。日本には、もともとタチの悪いコロナ風邪というものがありました。「おばあちゃんが風邪にかかったら、そのあと味噌汁の味が変わった」などと言われたものです。

要するに、今回のタチの悪い新型コロナウイルスと同じ病態です。

タチの悪くないコロナウイルスもありました。子どもがしょっちゅう鼻水垂らして、のど風邪をひいていたものですが、あれの多くがタチの悪くないコロナ風邪でした。

オミクロン株はこのタチの悪くないコロナ風邪と同じのど風邪です。なぜ、そうなったかというと、ウイルスが一生懸命変異を遂げた結果です。

新型コロナウイルスのスパイクの部分が大きく変異してプラスの荷電が極端に増え、のどの粘膜細胞はマイナスの荷電ですから、引き合う力が非常に強くなったのです。

そのため、のど粘膜で感染するようになりました。つまり、ウイルスが血管の中に入って悪さをするデルタ株以前のウイルスではなくなったのです。のど風邪になり、これは私たちが小さい時から何度もひいている風邪です。

だから、のど飴をなめていればいいそうです。熱が出るのも、子どもはしょっちゅう熱を出しているわけですから、普通の風邪の症状です。しかし、感染力が2019年以前のコロナウイルスの約60倍になっていますから、非常に広がります。もちろん、重症化はゼロではありませんが、病態としてはそれほど気にすることではなくなっているというのが、欧米など海外での認識になっています。だから、多くの国々ではマスクをすでに外しています。

ワクチン接種で超過死亡数が増えた⁉

松田　そして、ワクチンを接種することによって、超過死亡数（平年の死亡者数をもとにした予想死亡数より多いこと）が増えました。ワクチンを打ってなかった2020年の日本の超過死亡数は、逆に、マイナスでした。

これはなぜかというと、インフルエンザと新型コロナというのは同じウイルスですが、より感染力が強いウイルスが先に細胞に入りますので、そこで、免疫物質が出ることになり、あとからのこのこやってきたウイルスが入れなくなるのです。これを「ウイルス干渉」というそうです。

要は、ウイルス同士で細胞の椅子取りゲームをやっているわけです。新型コロナウイルスはインフルエンザよりも感染力が強かったため、インフルエンザは細胞という椅子を取ることができずに、2020年からほとんど見られなくなりました。上久保先生はインフルエンザの流行曲線の変化から、新型コロナの流行状況の分析に成功していたわけです。

日本では、毎年、インフルエンザで多くの方が亡くなっています。しかし、新型コロナでインフルエンザが激減したおかげで、2020年は日本全体で死亡者が減少することになりました。

一方、欧米や中南米ではコロナへの免疫力が弱かったため、超過死亡数は爆発的に増えました。アメリカやメキシコでは何十万人という数字になりました。

ところが、2021年から超過死亡数が日本でも、すごく増えています。ちょうどワクチンを打ち始めてからです。今もすごい勢いで増えているようです。

ワクチンは何がいけないのか。これもランセットやネイチャーといった最先端の科学誌では、さまざまな査読付き論文で、ワクチンのリスクが次々と明らかにされているそうです。このことが、不思議と共有されていません。

例えば、これは2021年の春頃に井上正康先生や村上康文先生（東京理科大学名誉教授）から聞いていたことですが、アメリカのソーク研究所が発表した論文があるそうです。ここはポリオなどの権威ある研究所ですが、そこが、今回の新型コロナ対策で世界中が使っている遺伝子型メッセンジャーRNAワクチンの危険性に警鐘を鳴らしていました。

この今回のワクチンは、人類史上初めて、遺伝子を注入するワクチンなのですが、そのワクチンが体の中で、新型コロナウイルスのスパイクと同じタンパク質のスパイクを作らせます。

細胞は、そのワクチンによって、そのようなウイルスが入ってきたと認識して、血中で抗体を作ります。抗体ができるので、本物が入ってきても、やっつけられるというものです。

しかし、そのワクチンで作られるタンパク質のスパイク自体が、スパイクですから、血管を傷つけ、血栓症を起こす可能性があるとされたのです。つまり、新型コロナウイルスと同じ病態をワクチンが起こす可能性が論文で指摘されたわけです。

これをわかっている学者が、ワクチンを打ってはいけないと警鐘を鳴らし始めたのですが、それらの声は封殺されてきました。

オミクロン株ワクチンは日本人の人体実験か!?

松田　その後、いろいろなことがわかってきて、2022年現在、この遺伝子型ワクチンが、人間がもともと持っている自然免疫力を低下させることが論文で発表され、わかっている方々の間では常識にまでなっています。

イスラエルは、最初のワクチン先進国でした。しかし、3回目、4回目を接種したら、ものすごく感染者が増えて、重症者も増えたという事実もあります。そのため、イスラエルはワクチンパスポートをやめたと聞いています。

そういう実態が徐々に明らかになってきて、欧米では気がついている人たちが立ち上がり、日本ではあまり報道されませんでしたが、各国でワクチンに対する激しい反対運動が起きました。

私がよく知っているオーストリアでは、2022年の2月、3月頃は、ワクチンを打たなかった人は何十万円もの罰金を取られることになっていましたが、現在ではすでに撤回されています。ドイツでもワクチン義務化法案が撤回されました。気がついている国民の声が政治を動かしています。

しかし、日本には全くそのような話は入ってきていません。欧州ではワクチンの反対運動が起きているというのに、日本では、2022年9月からオミクロン株のワクチン接種が始まりました。そのワクチンはオミクロンBA.1用に作ってあるのですが、２０２２年10月現在流行していたのはＢＡ．－４、ＢＡ．－５です。だから、ＢＡ．－１はもう古かったのです。

ですが、在庫があるので、とにかく接種させようとしていました。さらに問題は、オミクロン株のワクチンが治験も十分ではないことです。だから、日本人で人体実験しようとしているのかと、勘繰りたくなるほどでした。

新型コロナウイルスのメッセンジャーＲＮＡワクチンはＲＮＡ型ウイルスに対応したものですが、これはＳＡＲＳなどと同じ系統のウイルスで、これに対応したワクチンは作ってはいけないと、これまでいわれていました。

それは、変異が激しいウイルスなので、ＡＤＥといいまして、抗体依存性感染増強が起きやすいからです。ＡＤＥとは、ワクチンを打つことで抗体を作ってウイルスを抑えるのではなく、逆にウイルスの感染を促進して深刻な症状を引き起こす作用です。

そのため、禁断のワクチンといわれていましたが、欧米は新型コロナウイルスによる死者が非常に多かったために、緊急対応で、治験が十分でないものを使用したわけです。日本の場合はもともと、先ほど申し上げたように免疫状態が違いますから、打つ必要がなかったといえます。なのに、今やワクチン接種のトップランナーに位置づけられる国になってしまいました。

ワクチン利権に振り回された日本

松田　日本では3回目接種率が2022年10月時点で65パーセントでした。これは世界で3番目です。

接種率が高いのは、世界に追随する形で日本がグローバルなワクチン利権に振り回された結果だと思います。世界中の人々が、新型コロナウイルスが怖い、怖い、怖いとなって、メディアも書き立てました。そして、ワクチンの真実をSNS、特にYouTubeで発信すると、強制削除されます。

ウイルスは変異を今後も永遠に繰り返していきます。そうなると、PCR検査をして、感染者が増えた、増えたといっていたら、このような事態は永久に終わりません。

これは、ワクチン利権の側にとってはありがたい話で、定期的に永久に打ってくれることになります。世界の人々がＰＣＲ検査を続けて新型コロナを恐れている限り、需要は永遠にあることになります。

しかし、ワクチンによってどのように副反応や後遺症が起きるかについて、最近ではさらに多くのことが明らかになりつつあります。今回のワクチンは筋肉に注射するものです。本来のワクチンは、皮膚に注射することによって、自然免疫力も刺激しながら打つものだそうです。

しかし筋肉注射だと、そのまま血管にワクチンが流れるため、早く全身に行きわたってしまいます。子宮に入ると炎症を起こして卵子を製造する力を弱めることも指摘されています。

それから、何回も打つと、自己免疫疾患という免疫過剰が起こる可能性が指摘されています。頻回接種すればするほど、その確率は高くなります。何度も何度も接種したことで、副反応の被害者が多く現れました。

にもかかわらず、岸田文雄総理は、新型コロナウイルスに感染し回復したのち、「4回もワクチン接種したから重症化しなかった」という趣旨の発言をしています。

本来であれば、4回目接種の後に新型コロナウイルスに感染しているのだから、

「ワクチン接種は意味がない」と発言すべきなのに、真逆のことを話していました。

ここまでくると、岸田総理はワクチン利権に脅かされているのかと言われてもしかたないでしょう。井上先生は、4回も接種したことで自然免疫力が落ちて新型コロナに感染してしまったのだと言っておられます。

ワクチンで重症化しなかったとか、ワクチン接種が進んだから重症者が減っているとか言われていますが、これも間違いです。重症化が稀なオミクロン株になったから、あまり重症化しなくなったというのが正しい認識です。

危険なワクチンを子どもに打たせた政府

松田　先ほど、メッセンジャーRNAワクチンは自然免疫力を低下させると申し上げましたが、現在、日本国民の間で帯状疱疹が増えています。これは免疫力が落ちて発症する疾病です。

しかし、いまだに新たなオミクロン株に対応したワクチン接種も受けようとする日本人が多くいます。

なぜ、ここまで日本人は従順なのか、欧州の知人が驚いていました。先ほど話したように3回目接種率は世界で3番目。なのに、もはやかつての新型コロナ免疫国だった日本も、世界有数の感染者の多い国になってしまいました。ワクチンを打ったから免疫力が落ちて、感染者が増えたと考えるべきでしょう。

さらに、政府は子どもたちにワクチンを打たせています。努力義務と言っていいます。私たち参政党は、「努力義務は撤回すべき」と言っていますし、ほかにもワクチンの問題を指摘する議員もいますが、国会内でまともな意見として捉えられてきませんでした。私は、2022年3月ごろ、国会議員に働きかけて、子どもたちのワクチン問題を考える超党派の議員連盟を作りました。立憲民主党の川田龍平参議院議員に会長をお願いし、6月には第1回の総会を開きました。

そして、参政党が国政進出してから2回目と3回目の総会を開催したところですが、自民党の議員も公明党の方も来ていません。

議連の発足当時は、自民党の議員の方も共同の代表発起人として名を連ねることに了解してくれていました。その方は、「子どもにワクチンを打たせるのは絶対に良くない」とおっしゃっていたのですが、結局、降りてしまいました。

これはあくまで言われていることに過ぎませんが、党内で圧力がかかったのではないかと、公明党なのではないか、と。確かに公明党はビル・ゲイツと大変親しい関係だからと言う人もいます。実際のところはよくわかりませんが、こんな噂が出るようでは政府与党はものすごく大きな圧力にさらされているのではないか、と勘繰られてもしかたがないでしょう（2023年9月20日現在、子どもへのワクチン接種の努力義務はなくなったが、接種対象は生後6ケ月以上とひろがっている―編集部）。

医師会が求めた緊急事態宣言

松田　安倍政権の時でしたが、当時、私のところに入ってきた情報では、医系技官と官邸が結構、対立する場面があったようです。

医系技官は厚生労働省（以下、厚労省）に300人ぐらいいます。彼らは厚労省の役人ですが、医師や歯科医師の免許を持っており、医療行政をほぼ牛耳っています。本来、彼らはお医者さんですが、臨床経験がほとんどないお医者さんが多くて、医師会の代弁者だとも言われています。

その医系技官が牛耳る厚労省と、官邸が対立し、確執があったという話なのですが、安倍元総理は新型コロナが何かわかっていたと思いますので、それほど国民をがんじがらめにするコロナ対策は考えていなかったと思います。

それより、「Go To Travel」などの政策を進めたかったと思います。医師会からものすごい圧力があったようです。

日本の場合、民間の開業医や病院が8割ぐらいを占めていますが、ヨーロッパの場合は、大病院がしっかりしていて国立や公立が多いのに対し、日本の場合、中小の開業医がほとんどです。開業医の場合、大病院ほどのキャパシティーはありませんから、感染で患者が増えると対応ができません。そのため、医師会がとにかく感染拡大を起こさないようにと政府に緊急事態宣言を求めることになりました。

本来なら、スウェーデンのように集団感染をさせて、一気に収束させればいいのですが、日本では新型コロナウイルスはペスト並みの2類（実質は1・5類）の感染症と指定されているので、非常に厳重に対応しなければなりません（2023年5月8日から新型コロナウイルスは5類に変更された――編集部）。

日本でそれをやると、開業医たちがパンクしてしまう。そのため、緊急事態宣言で、外に出るな、行動させるな、という方向になりました。しかし、欧米でもロックダウンを厳しくやったところほど、感染が多いのです。

それは、免疫力を鍛えるチャンスを、家の中でジッとしていることで、なくしてしまっているからだと想像されます。家に中にいることで、ストレスもたまり、それも免疫力を落としてしまいます。

本来なら、外に出て太陽を浴びて、おいしいものを食べて、友人や知人に会って、免疫力を強化するべきなのに、それと逆のことをしていました。

私は、むしろ「免疫力強化の国民運動」をすべきであると官邸筋に提言したことがありますが、政権としては、やはり支持率の問題があるようでした。

「もし、感染拡大したら、責任問題が起こる（それは支持率の低下になる）」ということです。かつては政権の求心力は派閥の力によるものでしたが、現在は官邸一極の時代です。その求心力の源泉は世論調査の支持率なのです。

結局、メディアが作る世論によって、政治が振り回されています。政府も国民の空気を作るメディアを無視できません。そのメディアがコロナを煽っている状況では、コロナ対策のモードチェンジができなかったのです。

ＷＨＯとＣＤＣとモデルナ社にがんじがらめにされる日本

松田　どうも、政府与党はグローバル利権によって支配されているのではないか、そんなことを思わせる事態がないわけではありません。

恐るべきことに、ビル・ゲイツはＷＨＯ（世界保健機関）にパンデミック条約というものを提言して、その論議をＷＨＯが始めました。

このパンデミック条約とは、パンデミックの時は、各国の主権を超えてＷＨＯに強制的措置をとれる権限を与えるものです。

これこそがグローバリズムです。日本でいえば、緊急事態宣言よりも強力な行動規制をＷＨＯが日本国民に課せるようになるというものです。

各国の国家主権や民主主義は踏みにじられることになります。

馬渕睦夫氏（以下、馬渕）　世界政府樹立の一環ですよ。

松田　その拠点を日本に作るといわれています。バイデン大統領が２０２２年５月に来日した時に、アメリカのＣＤＣ（アメリカ疾病予防管理センター）の拠点も東京に作るという協議が岸田総理と行われました。

さらに、モデルナ社が日本に工場進出するということです。10年間の長期契約で、日本でワクチンを作るそうです（その後、２０２７年に稼働目標であるとモデルナ社日本法人社長が表明した―編集部）。

ちなみに、メッセンジャーＲＮＡワクチンの原型を作ったのはモデルナ社らしいです。ファイザー社もメッセンジャーＲＮＡワクチンを作っていますが、モデルナ社はファイザー社に対して特許侵害で訴訟を起こしました。

モデルナ社はメッセンジャーＲＮＡワクチンの本家本元だと考えていて、それをインフルエンザワクチンなどにも広げていこうとしているようです。なぜ、モデルナ社が日本に拠点を作るかというと、欧米では、もうワクチンが拡大できなくなっているからです。拡大できるのは日本しかないと、さらに、日本は信頼度が高いので、日本を拠点にアジアのマーケットに進出しようとしているとのことです。

まさに、日本は、ＷＨＯとアメリカＣＤＣとモデルナ社によって、がんじがらめにされようとしているのではないでしょうか。

馬渕　モデルナ社が製造した分の相当程度は、日本が買い取らなければならない構造になっているはずです。こんなことはビジネスではなくて、金儲けのために、日本からむしりとる構造です。

従順な日本で策動を強めるグローバリスト

松田　メッセンジャーRNAワクチンは各国政府と製薬会社との間で、かなり不平等条約になっているそうです。これは秘密になっているようですが、一部の国から漏れ出た話では、副反応があることを政府は言ってはいけないとなっていると聞きました。つまり、政府は副反応を認めてはいけないことになっている可能性があります。わかっていても、副反応があるとか、リスクがあるとか、なかなか言えない状況があるのです。日本の某大臣が副反応をデマだと決めつけたのも、こんな背景があるのかもしれませんね。

さらに、契約は破棄できないと言います。だから、政府はワクチンを買わなければならないし、使わなければ在庫になってしまう。そのため、政府も、国民にワクチン接種を進めるしかありません。税金の無駄遣いだといわれたくないでしょうか ら（2023年9月19日、厚労省は8630万回分のワクチンを順次廃棄すると発表した―編集部）。

これは、人類の生命が、一部の利権によって犠牲になっている状況だともいえるのではないでしょうか。

馬渕　新型コロナウイルスは意図的に人類を削減する目的があったのではないかと、私は考えています。謀略といえると思います。そう思ったのは、全世界が同じ対応をしているからです。

メディアは、病院の廊下で新型コロナウイルスの感染者が寝そべっているシーンや、医師不足で現場が混乱しているところなどを報道していました。

そして、医療現場で医師が苦労していることに対して、感謝を送ろうと報道していました。それが世界中で行われていたのです。それを冷静に見れば、これはおかしいと気がつきます。

さらに、フランスの経済学者で思想家のジャック・アタリらが、感染症のようなもので恐怖に陥れ世界を支配するととれるような発言をしています。

また、アメリカの国立アレルギー感染症研究所のファウチ所長が人工ウイルスの実験をやっていたとすっぱ抜きの報道がされています。そして、そのファウチは新型コロナウイルスが蔓延する前に「パンデミックが起こる」と言っていました。これは「起こる」のではなく「起こす」ということだったと私は考えています。

グローバリストは新型コロナウイルスでパンデミックを起こし、恐怖で世界を支配しようとしたのです。恐怖支配は、人類を支配する一つのやり方で、彼らはその実験を新型コロナウイルスでやったといえるのです。

残念なことに、日本は、そのパンデミックの仕掛けに従順で、恐怖支配に従ってしまいました。これでグローバリストは、これからは日本だとして、日本での策動を強めているのです。

問題は、このことに日本人が目覚めてないことです。

自民党の大宗や公明党は、グローバリスト側です。このままでは、日本はグローバリストの実験場になってしまいます。

真実を話すと保険医の資格が停止されてしまうのか!?

松田　私は、かつては有力誌の医学論文を査読する立場に立ち、今は毎日、新型コロナやワクチンに関して世界中の医学論文に目を通しておられる、先ほどの井上先生を通じて世界最先端の研究のことを聞き知っているのですが、では、他の医師の方はどうなのかというと、実際は、知っている方も多くいたのです。

しかし、ワクチンに関していえば、ワクチンをやめたほうがいいと自分の患者さんに言えば、医師会から保険医の資格を取り消されてしまうのではないかとか、不安に思っているお医者さんが多かったようです。

私は直接、その話を医師の方々から聞きました。

馬渕　そうですか。

松田　ある女性医師の方は、涙を流しながら、「私は医者です。人殺しはできません」と私に手紙まで渡しながら訴えてきました。良心的なお医者さんはたくさんいたのですが、みなさん、言えなかったのです。

私がもともと、新型コロナの問題を指摘し始めたのは、私の大学時代の同窓生で医学部を出て、臨床名医として有名になった友人とのやり取りがきっかけです。

彼が新型コロナが流行し始めた2020年の春先に、「日本では新型コロナは、ばか騒ぎ」だと言っていたのです。「早くみなさん、ばか騒ぎに気がつかないかな」と。

この言葉を聞いて、最初は「何を言っているのか」と思ったのですが、彼がもともと信頼できる優秀な人間であることは長年の関係からわかっていたので、そんなにいい加減なことは言うはずはないと思ったわけです。

そうすると、言っていることがいちいち納得できて、彼に、それを公にしたらどうかと言いましたところ、「まだ、大学病院の勤務医をしているので、立場上言えない」と。だから、私に「松田、言ってくれ」と。

このように、わかっていても言えない専門家が多くいたと私は思います。

ほかにも、多くの医師の方は、非常に忙しくて、最先端の論文を読んでいる暇がないのが実情だそうです。テレビに出ているコメンテーターの方に関しては、不勉強か、わかっていて話しているのかわかりません。

ただし、井上先生は、「免疫のことをわかっていたら、専門家としてあんな恥ずかしいことは言えない」と話されていたので、不勉強の方が多いのかもしれません。国民の健康と命を守るという医療人としての使命がどこに行ってしまったのかと思います。

その中でも立ち上がっている医師がいます。保険医でない方が立ち上がっています。ワクチンの後遺症対策に有志の方々が動き出しているのです。日本でもようやく始まっています。

しかし、そういった意見をメディアで流そうとしても全く取り上げられません。YouTubeではバン（強制削除）されるので、なかなか広がりができないのが現状です。

ワクチンで亡くなっても原因は心筋梗塞

馬渕　おっしゃる通り、超過死亡者数がものすごく増えています。
何が原因かを、厚生労働省は発表していないと思います。しかし、合理的に考えてワクチンが原因ではないかと推測できます。私の家の近くにある救急病院でも、最近はひっきりなしに救急車が出入りしています。以前には見られなかった現象で、ワクチン犯人説の傍証の一つと言えます。
その中には、ワクチンを打った人で重篤化した人もいたかもしれません。

松田　例えばメッセンジャーRNAワクチンの副反応の一つとして、心筋炎が知られています。

馬渕　そうなると、原因はワクチンではなく、心筋梗塞で亡くなったとなりますね。このようなすり替えをしていたわけです。ワクチンが原因だと言えないからです。

松田　心筋炎でスポーツ選手がワクチンを打った後に亡くなったことがありました。厚労省は、このスポーツ選手が亡くなったことについて、ワクチンと心筋炎との関係性を認めてはいませんが、ワクチンを打つと、現在は発症していなくても、いずれ心筋炎になる潜在的なリスクを高めてしまうそうです。

がんも増えています。がんは免疫が関係している病気ですが、ワクチンが免疫力を低下させるので、いきなりステージ4の患者が出てきているようです。

馬渕　私はワクチンを打っていません。最初から怪しいと思っていました。もしかするとすでに新型コロナにかかったのかもしれませんが、かかっていれば、免疫はできているでしょう。

一方、食事に気をつけて、発酵食品をより多く摂るように心がけています。もともと日本人は発酵食品を摂ることが多かったので、欧米の人たちよりも免疫力が高かったのです。

日本人はワクチン接種などする必要はありません。松田さんのおっしゃる通り、もっと免疫力を高くすべきです。

従順になるだけが美徳ではない

馬渕　私は、今回の新型コロナウイルス騒動は、世界のグローバル化を狙っている連中のハルマゲドンの第一段階であると見ています。先ほど話したように、世界を恐怖に陥れて、人々を支配する戦略です。

しかし、松田さんから聞いて、改めて驚いたのですが、欧米のワクチン接種率が日本より遥かに低いと。あれだけ感染している欧米の国々が、日本より接種率が低いということは、欧米の人々が目覚めているのだと思います。

しかし、日本人は目覚めていません。

私は、そこには、日本人の伝統的な発想に問題があるのだと思います。なぜ、日本人はこんなに従順なのか。これを、私なりに解釈をすれば、聖徳太子の十七条憲法までさかのぼると思っています。

十七条憲法の第三条に「詔を受けてはかならずつつしめ」から始まる文がありま

す。これは、お上のおっしゃることには従えということです。ただし、つつしむのは詔です。詔は神々の言葉です。神々の言葉だから、これは当然従わざるを得ません。しかし、それが拡大解釈されて、日本人は、お上、いわゆる政府の御触れには従うとなってしまったのだと思います。

もともと、日本人には権威のある方の言葉には従うということがＤＮＡに組み込まれているのではないでしょうか。特に、天皇のおっしゃることや、高天原の神々のおっしゃることには従ってきたのです。そのＤＮＡは今でも脈々と流れていると思います。

だから、政府が悪いことをするとは考えません。政府は私たちのために誠意を尽くしていただいていると思っています。

さらに、メディアに対しても、権威あるメディアの報道することは正しいと思っています。

だから、政府とメディアがタッグを組んでやっていることに対して、日本人は疑いを持ちません。そのため、日本国民が目覚めることは極めて困難です。従順になる場合がほとんどです。

さらに、日本人の美徳の一つですが、「他人に迷惑をかけない」ということがあります。

マスクについても、そのいい悪いよりも、マスクをしていないと他人が嫌がるからする、という日本人が多いと思います。

中には、お上のお達しよりも、その内容をよりエスカレートさせる人もいます。

私は今でも一切マスクをしませんが、あるレストランに行くと、いまだに「マスクをしてください」と言われます（2022年10月当時）。仕方がないので、マスクをしたら、「鼻まで隠してください」と言われました。

店内を見ると、座っているお客さんはマスクをしていません。それを指摘すると、「座ったら、外していいんです」と言うのです。

そこまで言われて、気持ちよく食事などできませんから、レストランを出ました。政府の言っていることを忠実に守るだけでなく、何倍にも拡大して実施する人たちはいます。これは、日本の昔からの慣習といっていいものです。

国が法律を作ると、各自治体はその規制をより厳しくした条例を作ります。これは憲法に違反しているのです。条例は、法律の範囲内で制定することができるだけです。それを越えてはいけないのです。

医系技官に牛耳られた医療行政

松田　ワクチンの普及率が低いのはアフリカ諸国です。もともとアフリカはヨーロッパの植民地だったところが多いので、「欧米の連中がやることはロクなことがない」という警戒心があるから普及しないと聞いたことがあります。

やはり、今問われているのは、日本国民がどれだけ正しい知識を得るかということに尽きると思います。私たちも一生懸命、啓発活動をしています。

参政党の支持者が増えたのも、本当のことを言っているということで増えたという面が大きいと思います。

馬渕　本当のことを、既存のメディアが報道しませんし、ネットも玉石混交で、既存のメディアの後押しをしているサイトもたくさんあります。そういう中で、真実を伝えようと考えても、なかなか思うようにはいきません。限界があります。

参政党は、そこをどのようにブレークスルーしようとしているのですか。

松田　国政政党になったことが大きくて、やはり国会での発言は止めようもないですから。議事録にも載ります。ただし、1議席しか今のところないので、それほど発言の機会はありません。

だから、メディアに出ることが大事だということになります。日本のマスメディアは国政政党しか報道しませんので、参政党が一種の国民運動を起こしていることを長らく、報道しませんでした。参院選の結果が出て、国政政党になったことでようやく取り上げられるようになりましたが、それでも国会議員が5人以上いる政党でなければ、地上波テレビはなかなか出そうとはしないようです。

新型コロナやワクチン問題については、メディアは嫌がるかもしれませんが、しっかり真実を伝えていく。参院選の比例で176万人の有権者が支持した国政政党なのですから、メディアは決して無視してはいけないはずです。

国会では1議席であっても、会期中に政府に対して質問主意書を出すことはできます。政府は閣議決定で答弁書を出さねばなりませんから、これは通常の大臣の国会答弁よりも重いものです。すでに参政党はワクチン問題も含めて質問主意書で政府答弁を引き出していますが、これからもどんどんとやっていきます。これを国民にきちんと伝えていくことが大事だと考えています。

馬渕　医系技官が医療行政を牛耳っているということですが、どれほどの力があるのでしょうか。

松田　これは以前からいわれている話ですが、厚労省で医系技官は、昔でいえば関東軍みたいなものかもしれません。事務次官（省庁の官僚トップ）も、彼らの言うことには逆らえないそうです。医系技官に医療行政は支配されているということです。それを、官邸もなかなか覆せない場面があったと聞いています。それでも、安倍さんのように、よくわかっていた方が総理だった時には、戦おうという面があったのではないかと思います。しかし、それが菅さんになり、ましてや岸田さんになって、ワクチンや新型コロナの真実について、何もわかっていらっしゃらないから、医系技官の意のままに動いていると想像されます。

おそらく医系技官も世界の論文を読んでいる人は多いと思います。しかし、彼らはグローバル利権に取り込まれているのでしょうか。それに逆らった行為はできない構造があるのかもしれません。そう考えないと、現状が説明できません。

馬渕　それを突き詰めていくと、日本の医学界は、製薬会社も含めて、世界のグローバル化した企業やグローバル化した官僚たちの一員ということですね。世界の、これは今のところアメリカが中心だと思いますが、それが敷いたラインに従わざるを得ない人たちなのですね。

松田　ワクチンでどれだけ税金を投入しても、日本の製薬会社であれば、日本の国内にお金が落ちますから、まだ、救われる面はあります。しかし、外国の会社だと、日本人の血税が外国の利権に吸い取られていくわけです。

馬渕　きっとこれから、コロナ増税になると思います。ワクチンは国民の税金で買ったわけですから。

松田　結局、国民の負担になります。これはＧＸ（グリーントランスフォーメーション＝エネルギーのもとを、現在の化石燃料から太陽光発電や風力発電など温室効果ガスを発生させない再生可能なクリーンエネルギーに転換し、経済社会システムや産業構造を変革させること）も同じです。

炭素税がいつの間にか入ってきて、国民の負担になり、日本人から富が収奪される構造になっていくと予想されます。

抗がん剤も医療行政の負の側面

松田　私は、抗がん剤も問題だと考えています。アメリカで抗がん剤が細胞分裂を阻害するとして、基本的に使われなくなっています。ヨーロッパも同じです。がんの細胞分裂を阻害するのはいいのですが、正常細胞まで阻害してしまうからです。

日本にはがん対策基本法があります。もともと日本人はがん患者の中で胃がんが多かったので、がんの医師は外科医が圧倒的に多かったのです。それではよくないと、内科医を増やしていく方向に法律は作られました。また、日本の疾病構造に合わせた対策が盛り込まれてよかったのですが、大きな問題がありました。

がん対策基本法を自治体レベルで運用する段階で、がん指定病院の医療行為として、外科手術と放射線治療、そして抗がん剤の三つを使いなさいと決めたことです。さらに、これ以外の医療行為をした病院は、がん指定病院の認定を取り消すというお触れが出てしまったそうです。

がん治療は、かなり大きな利権らしく、そのことが背景にあると聞いています。その結果、この法律が運用されて、現場のお医者さんたちは非常に困っているそうです。

それは、免疫療法など、がんにはさまざまな治療法があるのですが、外科治療と放射線治療、そして抗がん剤以外は選択できなくなってしまったからです。

お医者さんはがん患者を治すため、さまざまな治療法を試みたいのが本音です。しかし、ほかにも、その患者にあった選択肢があったかもしれないのに、これらの三つしかやってはいけないとなり、患者の側にも、お医者さんの側にも選択肢がなくなってしまいました。

現在、日本が世界でもがん死亡率の高い国になってしまっているのも、そこに一つの原因があるのではないかといわれています。

しかし、この問題をいくら提起しても、政府は動かないようです。欧米では売れなくなった抗がん剤も、日本でなら使えます。これなども、日本がグローバル製薬利権にとっておいしいマーケットであるだけでなく、「最終処分場」と位置付けられていることを示していると言ってもおかしくない現象でしょう。

血圧の正常値が下がる理由

松田　ほかにも、製薬利権といわれているものに降圧剤があります。

これは参政党では武田邦彦先生がおっしゃっていることですが、降圧剤を飲ませるために正常な血圧の値を10ずつ下げてきました。１４０から１３０、１３０から１２０へと。10下げるたびに降圧剤の売り上げが何千億円と伸びていったそうです。

高齢者になりますと、血圧が高くなるのは当然です。血管が弱ってくるため、圧力を高くしないと脳に多くの血を送ることができません。だから、降圧剤を飲むと、ボケを促進してしまうといわれています。

その人の身体の状態や年齢などによって、それぞれ適正な血圧があるはずなのに、みんな一律に定めるというのはおかしな話です。結局、降圧剤を飲んで副作用で身体を悪くし、それで別の薬を投与して、人体を蝕んでいくという悪循環です。

これも、製薬利権が儲けるための構造になっているからです。かなり以前からこのことは指摘されているのに、全く改善の兆しはありません。

これは、私が経験したことですが、2年前に膝の関節炎で歩けなくなりました。その時、整形外科に行きましたが、そこでは、膝の水を抜かれて注射をされ、しばらく様子を見てくれと、湿布をもらいました。ところがなかなか治らなかったのです。

その時、先ほど新型コロナのところでお話しした東大医学部出の大学の同級生に相談したところ、彼は内科の先生なのですが、「そんなの簡単に治る」と言います。

ロキソニンか何かの湿布を貼って、その上に保冷剤をのせてサポーターで20分ほど押さえる、これを1日2~3回繰り返せば、すぐ治るよ、といわれました。半信半疑でしたが、やってみると、本当にすぐに治ってしまったのです。

なぜ、そのことをお医者さんが言わないのかと聞いたら、彼いわく「湿布だけじゃ、それほど保険点数にならないだろう」ということでした。そして、こんなことを付け加えていました。「水を抜いたり、注射を打ったりし続けると、かえって膝を悪くする」と。

結局、医師が患者のほうを見ていない。今の医療が製薬会社のほうを見ていることを思わせるものでした。そして、この問題に政治はあまり切り込んできませんでした。

ひょっとすると与党にしても野党にしても、後援会長が地元のお医者さんだったりすることが多いからかもしれません。お医者さんは、地元の有力者であることが多いです。

それは私にも経験があります。それに反することはなかなか言えないのかなあと思います。

抗がん剤の実験場、日本

馬渕　日本は、世界の新しい抗がん剤の実験の場になっていると思います。がんになったら、まず切りましょうとなり、そのあと、抗がん剤です。新しい画期的な抗がん剤と言われて使ってみますが、患者はなかなか治りません。

抗がん剤の実験場として、システム化されていると言っていいでしょう。

がんはそんなことをしなくても治る場合も多いのです。免疫を強くすれば治るとも言います。世界の巨大な製薬会社の実験場に日本の病院がなっているのです。

松田　もともと日本にこのような体質があったからこそ、オミクロン株に対するワクチンの治験の対象になってしまっていると思います。

馬渕　がんで、専門病院に入院すると、亡くなる方が非常に多いのです。退院しても、また入院になるケースがほとんどです。他の病気のように完治して退院することはあまりありません。

これは病院のせいだけではなく、がんに対する日本人の認識が間違っているのです。

病院も新しい抗がん剤を使いましたけど、治療の甲斐なく亡くなりました、といえば免責されます。しかし、人によっては抗がん剤がいらない場合もあります。

松田　人間ドックをやってどこかに異常があったら、「ハイ、検査」となります。ポリープが見つかると、すぐに手術となります。人間の身体なんて、ストレスでいくらでも炎症はできるものだと聞きました。

人間ドックで儲かるし、検査でまた儲かります。日本は医療機器を世界の中でも非常に多く買い込んでしまっている国です。それを稼働させないと病院も回っていかない。だから、検査をしたい病院が多いそうです。

編集部　先ほど、馬渕さんがお話しされた権威ですが、医師も一つの権威だと思います。だから、検査の結果、医師から「よくない数値だから、再検査、精密検査を受けたほうがいい」と言われると従います。そして治療し、薬となります。

これでは、いつまで経っても医療費は、どんどん製薬会社などに吸い取られそうですね。

馬渕　日本人は従順です。税金に対しても、一部の人は別にして、一般の国民は、お上に言われた通りに納めます。多くは源泉徴収ですから、高額納税者は別にして、それほど税金額が高くありません。だから、一般の国民は、それほど痛みを感じないのです。

逆に企業は非常にセンシティブです。それは膨大な税金を取られるからです。

日本の一般国民が〝従順〟に税金を納めるのは、繰り返しになりますが、歴史的には日本の政治機構において、天皇陛下に対する信頼があったからです。それが政治の信頼にもつながっていたのです。

このようなことを、今の政治家たちはどれほど理解しているのでしょうか。政治家が地に落ちたとはいえ、いまだ国民に信頼されているのは、皇室が信頼されているからです。そのような認識が政治家たちにあるのでしょうか。

日本を取り戻す

松田　私が日本人に認識してほしいと思っているのは、天皇はもともと国民とともにあったということです。国民と天皇は一体で、それに対して権力が悪業をはたらくことは、歴史的に度々ありました。

そして、今の日本の権力機構が、グローバルな利権の代理人のような存在になっているということを理解してほしいと思います。

私たち、天皇のもとにまとまっている国民が、その構造を自覚して、ストップさせるべきところは断固としてストップさせていく必要があると思います。

馬渕　それは安倍元総理がおっしゃった「日本を取り戻す」ことでもありますね。非常に大切な視点です。戦後の日本の教育が、君民一体とは何か、天皇とは何か、皇室とは何かの教育を一切やってきませんでした。

逆に、天皇や皇室を貶める教育をしてきました。

君が代反対とか、国旗掲揚反対とかの運動をしてきました。

そのため、国民の間に天皇との一体感が薄れてきています。これを取り戻さないと、日本の本来の力は出てきません。

天皇は権力を行使していません。権威だけです。この権威は国民の信頼のもとに成立しているのです。だから、国民の信頼がなくなれば権威もなくなります。天皇と国民がお互いを信頼し合って、日本は君民一体の国ができているのです。

これが日本の国体の神髄です。私は戦後の教育で、これがかなりの部分を壊されたと思いますが、まだ、日本人のＤＮＡに流れている、この神髄は完全には失ってはいないと思います。

今こそ、この神髄を再構築する必要があると思います。それを参政党には期待します。

第三章　ウォール街にマネー支配されている日本

（２０２２年10月収録。一部、２０２３年9月の状況に合わせて修正）

「陰謀論」とレッテル貼りをするグローバリスト

編集部　いつから日本はグローバリズムに取り込まれてしまったのでしょうか。
　参政党前代表（※）の松田学氏は大蔵省（現・財務省）の出身です。そして、馬渕睦夫氏は外務省の出身です。お二人とも官僚の出身で、日本の行政のトップにいらっしゃいました。そのお二人が感じていたグローバリズムの脅威というものを、実体験から語っていただきたいと思います。

松田学氏（以下、松田）　現在、グローバリズムの危険性について、気がついている人は増えています。しかし、一方で、私たちが、その危険性を伝えると陰謀論者の集団みたいに言われます。「参政党はカルト集団」である、みたいなことを言われたのです。
　いくら、ワクチンについて、医学的に正しいことを言っても、そのようなレッテル貼りで、真実が伝えられなくなってしまう。現在の、政治でも、言論でも、そう

※松田学氏はこの対談時は参政党代表でしたが、2023年8月30日に代表を辞任したので、ここでは前代表としています。

いう構造におかれています。

馬渕睦夫氏（以下、馬渕） 参政党は政党ですから、私みたいな自由に発言できる立場の者とは違うと思いますが、それでも真実を伝えなければならないから大変です。

松田 ワクチンについて言えば、国民の健康が大切ですから、レッテル貼りにもめげず、訴えてきました。ナショナリズムの立場に立って、私たちの敵はグローバル全体主義であると訴えました。

しかし、グローバリズムの危険性、それ自体を取り上げただけで、陰謀論者だというふうに決めつけられてしまいます。

私が今回、選挙に立った理由の一つに、私自身が大蔵省で、いわゆる陰謀というものが実際にあるということを、身を持って体験したことがあります。

馬渕 それは、よくわかります。それは非常に重要なご指摘です。陰謀を策す連中や、グローバリスト、そしてそれに取り込まれている連中は、「陰謀論」とレッテル貼りすることで、自分に都合の悪い議論をシャットアウトするのです。

だから、「陰謀論」は彼らが発明した言葉ですが、「陰謀」は存在します。「陰謀論」が存在するのではなくて、「陰謀」が存在するのです。

松田さんには、大蔵省時代のご経験を、ぜひ、公務員の守秘義務の問題はあるかもしれませんが、国民にわかりやすい形で知らせていただきたい。私もそれについて感じることがたくさんありますが、松田さんは、具体的にどのような陰謀を経験されましたか。

ノーパンしゃぶしゃぶで大蔵省バッシング

松田　私は1981年に大蔵省に入りました。当時から、アメリカからの日本に対する市場開放要求は結構ありましたが、特に80年代から90年代に向けて、焦点が当たるようになったのが、日本の金融資本市場でした。
1995年には、大和銀行ニューヨーク支店で1100億円の特別損失事件がありましたが、その事件があった時、なぜかFRBの元議長がアメリカの議会に出てきたりして、その事件が、「大蔵省の護送船団方式、この大蔵省と銀行との癒着がいけないんだ」という議論に、どんどん拡大していったのです。

それはやや不自然な動きでした。大和銀行ニューヨーク支店の特別損失は、井口俊英という、ただ一人の行員の犯罪にすぎません。井口が変動金利債権の取引に失敗し5万ドルの損失を出し、その穴埋めでアメリカ国債の簿外取引を重ね、より損失を膨らませてしまった事件です。

このことは彼自身が本に書いています。

その一行員の犯罪にすぎない事件が、いつの間にか、どんどん、どんどん、盛り上がってきて、大蔵省解体論にまでなっていったのです。

メディアも、それに乗っかって、大蔵省バッシングを始め、イエロージャーナリズムは「ノーパンしゃぶしゃぶ」を面白おかしく取り上げました。そして、大蔵省の官僚は、とんでもない人たちだという脚色がどんどんなされました。

「ノーパンしゃぶしゃぶ」の報道には、かなりフェイクの部分がありました。

編集部　私も当時、男性誌の編集部にいましたが、「ノーパンしゃぶしゃぶ」は盛り上がっていましたね。私の雑誌ではありませんが、「ノーパンしゃぶしゃぶ」のお店に突撃取材し、実体験特集をして悪乗りする雑誌もありました。

しかし、その「ノーパンしゃぶしゃぶ」報道のどこがフェイクだったのでしょうか。

松田　公務員に対する業界からの接待は、現在はご法度ですが、当時は、金融機関が大蔵省の役人を接待するのは普通のことでした。「ノーパンしゃぶしゃぶ」は、その接待方式の一つになったものでした。

もともとの接待の場所は、料亭とかクラブでした。しかし、そこだと「本音の意見交換になかなか入れない」と、ある銀行が考えたようです。それで「ああいう密室だと、すぐに、裃を脱いで、本音で話ができる」ということで銀行側がセットしたのが、いわゆる「ノーパンしゃぶしゃぶ」でした。

当時は、金融機関からの接待を受けなければ、行政ができない時代でした。金融行政には大蔵省より力を持っている銀行もありました。本物の情報は人間どうしの信頼関係の間で共有されるというのは、古今東西の真理という面が確かにあります。

酒を飲んで人柄なども見て、この相手にはここまでなら話していいということを判断しながら情報共有がなされる。だから、行政側も接待に応じなければ情報がとれず、仕事にならないという面がありました。公務員側には交際費などもありませんから。

だから、大蔵省の役人も、遊びたくて接待の場に行っていたわけでは必ずしもありませんでした。

当時、私はたまたま金融行政を担当していなかったので経験はありませんが、私の同僚が接待を受けた翌日、「いや、昨日は、あんな、しゃぶしゃぶに連れて行かれたよ」と言っていたことを今でも覚えています。本当に嫌がっていました。

それを、メディアは、あたかも「ノーパンしゃぶしゃぶ」を大蔵官僚が自分で要求して行ったように報道していました。大蔵省はスケベ人間の集まりのように書き立てていたわけです。こんなことを言うと不謹慎かもしれませんが、官僚側としては落ち着いた広い部屋でおいしいものを食べられる料亭のほうがよほどマシというのが本音だったのではないでしょうか。銀行側にとってはしゃぶしゃぶのほうが交際費の節約になったかもしれませんが。

パリに出張に行って、ムーランルージュで銀行の人と食事をした官僚が「ストリップ小屋で接待を受けた」という記事になっていた例もあります。ご存知のように、そこは普通のレストランとして食事をする場にもなっている店です。そのほか、事実でないことも結構、書かれていたように思います。

そんなわけで、「大蔵バッシング」の世論が作られ、メディアも政治も大蔵叩きに走り、1998年には検察当局から大蔵本省に捜査が入り、接待疑惑で大蔵官僚の逮捕者までが出ました。そのような中で「財政金融分離」が進められ、大蔵省は解体に至ります。

98年の3月のことでしたが、大蔵省に検察の捜査が入った日は季節外れの雪が舞っていました。私はちょうど、大蔵本省の自分の席が、正門から列をなして省内に入る特捜部の集団が見える位置にあったのですが、そこで目立っていたのが、私が少し前のポストだった国税の査察の仕事で関係のあった検事でした。

私は思わず、「司直行進す　狂ひたる春の雪」という、かなり破格の句を詠んで、はがきに記し、その検事のご自宅に送りました。検事からは「名句！」という返信をいただいたことを覚えています。

かつて、大蔵と検察といえば、日本の国家を支える骨格とも言われたものですが、それがこのような関係になっていることが、私には一種の国家解体を暗示するように感じられたのです。ここに至ったのは、アメリカがこれまでも自国の国益のために、他国の体制を壊したり作り替えたりしてきた常套手段なのではないか。

曲がりなりにも日本国家の司令塔となってきた官僚の時代は終わった、これからは日本にも、欧米と同様、政官民学の各界がスクラムを組んでグローバル勢力から国を守り、国益を実現できる戦略機関を創らねばならない。そんな思いが、いずれ政界に出ることにもなった私の、その後の活動の原点の一つにもなったように思います。

大蔵省解体で日本の金融市場に風穴をあける

編集部　メディアは、キャッチーな事件に悪乗りするのが得意です。それで、視聴率を稼ぎ、雑誌や新聞の売り上げを伸ばします。

そのような大蔵省バッシングは、アメリカのグローバリストにとって、何を目的にしていたのでしょう。

松田　私は、〝ウォール街の利害と一致しているんだな〟と直感しました。ちょうどあの頃は、日本のバブルは崩壊していましたが、1980年代からの日本の金融力が非常に力を持っていた時代です。

三菱地所によるロックフェラーセンタービルの買収が1989年です。アメリカではジャパンバッシングが起こっていました。そして、この年にベルリンの壁が壊され、続いてソ連邦が崩壊します。

アメリカの世界戦略が大きく変わった時です。そして、日本の金融力がアメリカにとって大きな脅威に感じられるようになった時期です。

それまでアメリカは、日本を、ソ連をはじめ共産主義に対する防波堤として位置づけてきました。それが、ソ連邦という仮想敵が崩壊した1990年代に入ると、今度は日本があたかも仮想敵のような位置づけになった面があります。

日本の金融力をできるだけ抑え込んで、日本の貯蓄超過分、日本人が一生懸命汗水垂らして働いて得た膨大な貯蓄を、アメリカのウォール街が上手くマネージできるような、そういうシステムをアメリカは作り出そうとしたわけです。

アメリカの90年代の世界戦略は日本に限らず世界の貯蓄を、アメリカを中心に回していくというものになりました。その中で日本は一番格好の餌食になりました。

私はこれを、「第二の経済占領」と呼んでいます。第一の経済占領は、GHQの時代の、いわゆる財閥解体、農地解放、内務省解体でした。

それが90年代は、財閥解体に当たるのが「株式持ち合いの解消」であり、農地解放に当たるのは市場開放や金融資本市場の開放であり、内務省解体に当たるのが大蔵省解体だったといってよいでしょう。

日本の金融資本市場を我が物にしようとするなら、そこにナショナルフラッグを立てている大蔵省という強力な勢力を弱体化するのが最良の策ということになります。かねてから、日本で最も強いのは官僚機構だと見られていましたので、その中核にある大蔵省を解体して、さらに官僚機構もろとも弱体化することが、日本をウォール街やグローバル勢力の意のままの国へと再編することになると考えてもおかしくなかったわけです。

それが見事に実行されて、金融については郵政の民営化まで行きました。

いわゆる構造改革路線というものは、今から考えてみれば、ウォール街が日本の企業を買収しやすい経済構造を創ることにほかならないものでした。

結果として平成の30年間、日本人の賃金はほとんど上がっていません。このような国はほかにありません。何倍にも上がっている国も多いです。

日本だけが上がっていなくて、何が増えているかというと、企業の利益剰余金です。利益剰余金は株式への配当財源になります。企業の株を持つ外国資本に利益が転がり込む部分です。これが、この20~30年で、大幅に増えてきました。

構造改革によって作られた日本収奪のシステム

松田　今の日本は株主資本主義に席巻されてしまっています。構造改革は、いわゆる新自由主義の地ならしです。結局、平成の30年間、世界で最も成長しなかった国になってしまったのは、日本が新自由主義に無抵抗だったからです。日本の政治全体が、改革、改革と騒いだ結果が、これです。

1990年代の金融改革の前までは、銀行が企業に短期で貸し付けをして、満期がきても返さなくていいとして、ずっと乗り換えをしていました。そうすると借入金が企業にとっては資本金のように安定するのです。それが企業の財務の安定をもたらしていました。

そのような日本の企業の強みも、竹中平蔵さんが主導していた構造改革のもとで、不良債権と見なされるようになってしまいました。長期で張り付いている不良債権だとして、銀行は回収に追い込まれました。このことは当時の銀行の関係者の多くがご記憶のことではないかと思います。

日本経済では、バブルの崩壊後、土地の価格が下がって銀行の資産が傷ついていましたが、当時の大蔵省のいわゆるナショナリズム派は、各銀行がそれを10年なり20年なりの長期にわたってホールドして売却せずに持っておけば、いずれ地価が反転したり経済が成長したりすることで収益性を回復すると考えていました。

つまり、不良債権も不良債権ではなくなる時が来ることを考え、資産としてホールドできるよう、間接償却の方式が望ましいと考えていたわけです。これは、劣化した資産について銀行が引当金を積み、その引当金分を無税化するという考え方です。そうすることで、急激な資産売却を防ぐことができます。

ところが、グローバリズムの構造改革派によって、不良債権はどんどん売却しろという方針が決められたのです。

これを間接償却に対する直接償却と言いますが、これが、資産の投げ売りが投げ売りを呼ぶという負のスパイラルをもたらすことになりました。こうした資産デフレは、その後の長期にわたる日本のデフレの原因にもなり、日本の衰退を加速させたと思います。

日本は、いつの間にかグローバリストの経済的な洗礼を受けて、海外に奉仕する国になってしまいました。これをマクロの数字で見ますと、日本の対外純資産残高は、統計が始まって以来三十数年間、ずっと世界の1位を続けています。2022年末の数字では418・6兆円（※）です。

これは何を意味しているかというと、世界に一番お金を供給している国ということです。日本が、です。対するアメリカは対外純負債残高、いわゆる累積債務が2022年末で2138兆円（※）です。アメリカは世界最大の累積債務国です。

それで、どちらが経済成長しているかというと、借金をしているアメリカのほうがずっと成長しています。日本人は、一生懸命働いて金を稼いで、金融資産を個人

※最新数字に変更

で2000兆円、法人なども合わせると4000兆円以上も蓄えていますが、国民の給料は全く上がっていません。海外を豊かにするほうばかりにお金は回っていったのです。

こういう構造が、今の日本に出来上がってしまっています。

世界一の債権国であることは決して誇れることではありません。これは、日本自らが、国内で資金を回す、国内で上手く使うということに失敗してきたことがもたらしている現象でもあるからです。

ただ、その根本にあるのが、金融にも財政にも「規律」を求める新自由主義的な「ワシントンコンセンサス」であることは無視できません。その呪縛のもとで、金融機関は信用創造がままならなくなり、日本政府も財政出動が困難な状態が続いてきました。

金融を通じたアメリカによる日本支配は、リーマンショックのあと、アメリカの金融機関自体が弱ったため、日本の郵政を民営化しても、その資金を乗っ取るところまではいかなくて済んだのかもしれませんが、そのあとに力を伸ばしてきたのが中国です。リーマンショック後の4兆元の経済対策で世界経済を救った中国が、その後、覇権的な勢いをますます強め、「世界の中国化」が世界の潮流になりました。ウォール街が日本から収奪するシステムが、今は中国が買収しやすいシステムとしても機能してしまっています。それが今の局面です。

日本で最も手ごわい組織が官僚機構だった⁉

馬渕　松田さんのおっしゃる通り、１９９０年代以降、日本の官僚機構は、アメリカのグローバリストに散々叩かれてきました。大蔵省バッシングの後は、外務省に飛び火しました。外務省バッシングは２００１年からだと思います。

外務省機密費流用事件からです。それから、２年間くらい続いていました。その当時の最初の外務大臣は田中眞紀子氏です。彼女は、そのバッシングに乗っかって、とにかく外務省に厳しいことを言っていました。外務省に厳しいことを言ったら、メディアが注目してくれるからです。

彼女にはいい面もありました。しかし、メディアに注目してもらうために、あえて、衆目の前で外務省をバッシングしました。だから、最初の秘書官は、体を壊してしまったほどです。

松田　気の毒です。

馬渕　カメラの前で罵倒されますから、しかもそんなに罵倒すべきような内容じゃないのです。

編集部　なぜ、大蔵省の次に外務省を狙ったのでしょうか。

馬渕　それはわかりません。

松田　私が何となく感じていたのは、日本で一番強い組織が官僚機構だったからだと思います。外国からはそう見えたのでしょう。なかなか従ってくれない。政治家はコロッとやられますが、「官僚はなかなか手ごわいぞ」という。

編集部　官僚のあら探しをしていたら、外務省に機密費流用事件が起きたから始めたのかもしれませんね。

馬渕　そうかもしれませんね。大蔵省が標的にされるのはわかりますが、外務省は、一番権限のない役所です。

今は総務省になりましたけど、行政管理庁という部署がありました。各行政組織がしっかり機能しているか、仕事しているかを管理観察するところです。私は、そこへ外務省から3代目で出向したことがあります。2年間出向していました。

行政管理庁の人からすると、外務省の仕事を観察していても、何をやっているのか非常にわかりにくい。特に、海外にある大使館や総領事などの在外公館は、何をしているのかさっぱりわからないという印象を持っていました。

仕事の基準になるべき法律がないからです。そのため、仕事が正しく行われているかをチェックする基準がないことになります。外から見れば、何でもいちゃもんをつけることが可能なわけです。

だから、バッシングしようと思えばいくらでもできます。しかし、外務省、特に在外公館は、目に見えない仕事が多いのです。実際は、在外公館にいると24時間仕事です。

しかし、このことをバッシングの時にいくら言っても誰も聞いてくれません。

松田 そうですね。大使館員は、おいしい思いをしていると思われることばっかりですよね。

接待どころか外国の連中は乱痴気パーティー

馬渕 ロマネ・コンティを飲んでいるとかね。私は当時、キューバの大使でした。小さい大使館だから、報償費は少なく、ロマネ・コンティなど高級なワインは置いていません。だから、私は、接待用のそれなりのワインを自腹で買っていました。

外務省機密費流用事件で、やり玉に挙がったのが報償費です。機密費といわれていますが、小さな公館では、かなり少なく、好き勝手に使える機密費などほとんどありません。

そもそも、大蔵省や外務省に限らず、接待はせざるを得ないのです、情報が必要ですから。相手がする場合もあるし、こちらがする場合もあります。

私は行政管理庁で、通産省（現・経済産業省）を担当したことがあります。通産省は、日本企業のことをよく知っているようにいわれますが、実態は、通産省も各企業にヒアリングして行政に役立てているわけです。ヒアリングしないと、情報は入ってきません。ヒアリングの方法はいろいろありますが、通常は、どこかで一杯飲みながらやります。料亭ですることもあります。だから、それが一つの文化と言うと言いすぎですが、一杯やりながらのほうが、さまざまな情報が入りやすいのです。

松田　そうですよね。

馬渕　接待はいかんと言いますが、アメリカでも他の国でも普通に行われています。彼らも実はやっているのです。いや、彼らは、もっとひどいことをやっています。秘密の離島に集まって乱痴気騒ぎです。

日本に対して、グローバリストがやったことは、今で言うキャンセル・カルチャーです。日本のカルチャーを捉えて、大蔵省全体を批判して炎上させたのです。日本も彼らのとんでもないカルチャーを暴いて反論すればいいのです。

松田　そうですね。大蔵本省の国際金融局にいたころ、今は高名な経済学者になられた上司がよく言っていました。「海外公館、財務アタッシェたちとパーティーをやる時には、必ず出すワインを見せろ」と。そして、「何年ものの、どのワインを出すかによって、取れる情報が違うんだ」と。

欧米では、割とホームパーティーが多いのです。住宅状況が日本と違いますから、家に呼べます。日本では、そうはいかないので、料亭でやっていたわけです。

大蔵省が単独で決めた湾岸戦争の戦費

馬渕　まさに、ソ連崩壊後の日本の歴史は、大蔵省解体の歴史だと言えるわけですね。結局、いい意味でも悪い意味でも、日本を支えてきたのは予算編成権を持つ大蔵省です。だからこそ、グローバリストも大蔵省を狙い撃ちしたと言えます。私もそれを感じることがあります。

私は外務省にいる時、予算を獲得するため大蔵省を説得する能力の有無で職員の評価が左右されていたように感じました。それは各省庁にとっても同様だったと思いますが、逆に、大蔵省の厳しい査定が、政府の政策が極端にぶれることのない日本を作ることに一定の役割を果たしていたと思います。

為替問題は現在、財務省が担当しています。しかし、もともとは外国の関係だから外務省が担当していました。私がいた当時は、大蔵省の国際金融局です。

現在は、銀行局が金融庁として分かれましたから、昔の大蔵省のような力はないと思いますが、国際金融部門については、大蔵省はどの省庁にも手を付けさせない姿勢を堅持していました。もちろん、外務省にも、一切タッチさせないようにしていました。

それ自体は問題ないわけではありませんが、由々しき問題はニューヨーク総領事館です。私がいた当時、ニューヨーク総領事館には大蔵省から4人が赴任していました。たぶん、今もそうでしょう、彼らはウォール街に別のオフィスを持っています。これは松田さんもご存じでしょう。

松田　はい、知っています。そのオフィスを訪ねたこともあります。

馬渕　大蔵省からの出向といっても、彼らは総領事館員です。だから、同じ総領事館の敷地内にいるべきです。全くそれとは別のオフィスを持っているというのは、おかしなことです。

しかし、これに対して、いかに実力者の外務大臣が来ても大蔵省を説得することはできませんでした。

だから、もし国会で取り上げられたら、大蔵省は説明に困るはずです。それは、そのオフィスは日銀から借りているからです。しかも、日銀が丸抱えで、そのオフィスを維持しています。これは、誰も手をつけられません。

これは東西の冷戦の時から続いています。今も続いているのです。それは、ウォール街との関係は大蔵省が独占するという意味です。

もちろん、日々の細かなやりとりは大蔵省（現、財務省）でいいです。しかし、湾岸戦争の時に問題が起こりました。

湾岸戦争の戦費負担をアメリカ政府が求めてきました。その額は90億ドル。この要求を巡りアメリカのブレイディ財務長官と当時の橋本大蔵大臣がニューヨークで直接交渉して決めてしまいました。村田駐米大使が同席を求めたのですが、大蔵省側が拒否しました。

そのこと自体もとんでもない話ですが、その会談では90億ドルが円建てなのかドル建てなのかを詰めておかなかったのです。当然支払額を巡りひと悶着ありました。日本の予算は円建てですが、実際の支払い時には円安に振れて90億ドルを切りました。両国ですったもんだの挙句、差額を日本が支払うことになったのです。

元経済局長でもある村田大使が同席していれば、こんな基本的なミスは起こらなかったはずです。大蔵省の間違った権限意識が、結果的に国益を害することになったのです。

本来なら外務省が窓口になって、日本政府として話し合いをしなければなりません。その上で国内的に大蔵省と協議して額を決めるというのが外交交渉のあるべき姿です。間違った権限意識が外交的敗北を招いたことを、大蔵省は猛省すべきでしょう。

結局、最終的には、アメリカに日本はイラク周辺諸国への経済支援を含め130

億ドルもむしり取られました。

予算を握っている大蔵省が外国と金額が絡む案件を直接交渉すれば、国益のみならず大蔵省の省益も害する結果になるとの教訓をくみ取ってほしいと思います。逆に、大蔵省を弱体化すれば自国に有利になるとアメリカなどが考えたとしても不思議ではありません。

いまだに続く日本的経営の否定

馬渕　このように、日本国内で官庁同士が切磋琢磨することはいいと思いますが、対外的には過度の権限闘争がわかってしまうと、それは国益に反する方向に働く危険があると思います。

やはり、当時の大蔵省には驕りがあったのでしょう。バブル真っ盛りで、日本国内では敵なしでしたから。その点は教訓にすべきと思います。

アメリカなどのグローバリストによって、日本の護送船団方式だけでなく、日本的経営のあらゆる美点が否定されました。終身雇用や年功序列、持ち株制度などなど。

それらが、すべて日本経済の手枷足枷になっているという印象操作をされて、日本人は洗脳されました。しかも、それに抵抗することは悪であるとされて、メディアがそれに拍車をかけました。それによって、日本の中枢組織が解体されて、今日があります。

さらに、あれから30年近くが経って、日本経済が全く成長してきていないのに、相変わらず、当時の金融改革やその後の構造改革が問題であったとメディアは一切報道しません。

そして、誰もそのことを問題にしないし、官僚も問題と思わなくなっています。これでは日本の解体はさらに進むことでしょう。

今日、企業に順守を迫っているコーポレートガバナンスコードは、金融庁が証券取引所と一緒になって作りましたが、日本企業をますます株主資本主義化するものです。

私もある企業の社外役員をしていましたので、コーポレートガバナンスコードを見ましたが、ひどいものです。だから、さすがに会社法まで改正するには経済界や政界の障害があったのでしょう。コードという行政指導ということになったと思います。

コードの内容の一つは、取締役会を国際化しろとか、多様化しろとか、外国人も入れろと要求しています。すでに、現在、日本の大企業ではコードに沿って取締役会に多数の外国人を入れています。

彼らは会社を食い物にして、高給をもらって帰るだけです。それは会社のコストを増やすだけです。そのしわ寄せはすべて社員の給料にきます。

こんなことは常識的にわかります。しかし、自民党は全く指摘しません。だから、これ以上日本経済をダメにしないためには、企業経営形態の抜本的改革が必要です。これこそ、新しい資本主義の核であるべきです。

金融は米英のインナーサークル

編集部 大蔵省のニューヨークの別のオフィスで会っていた人たちは、やはりネオコンなのでしょうか。

松田　私に見えていたのは、ウォール街の金融の連中やアメリカの財務省の関係者です。実際に、両者が会っているところを見たわけではありませんが、当時の状況を推察すると、彼らが結託してウォール街の利益を国家レベルで実現していたと思います。

例えば、１９９７年のアジア通貨危機などは、アメリカの財務省とヘッジファンド勢力が、いわば「官民一体」で引き起こしたものだったと見られています。成長するアジア地域において、当時、誕生しようとしていたユーロではなく、米ドルによる覇権を確保しようとする、まさに国家戦略でした。これによって短期資金を引き揚げられたアジア各国には、財政と金融の規律を課すＩＭＦが入り、そのもとでワシントンコンセンサスが支配するようになりました。

アメリカは日本に対し、金融行政における官民癒着を批判できるような立場ではありません。私はかつて大蔵省で日本の銀行に対し、国際金融情勢が不安定化しないよう、債務危機が騒がれる国にも貸し付けを維持するよう行政指導する仕事をしていたことがあります。しかし、こうした「法的根拠に基づかない不透明な行政指導」は官民癒着であり、けしからんということになり、アジア通貨危機の時は発動できなくなっていました。

その一方でアメリカ財務省は、その時、米銀に対してこうした行政指導をして、某国に対する経済支配を強めるという成果をあげていました。アメリカが建前で言っていることに過ぎないことも常に正しいと信じ込んで実行してしまう日本人のナイーブさを、当時も感じたものです。

馬渕 アメリカの財務省の長官はウォール街の金融コングロマリットの会社の幹部やCEOがなっています。みんなウォール街の出身者です。アメリカ財務省の長官や幹部とウォール街の連中は同じ利害関係者です。

松田 ある意味、本当に残念なことですが、ウォール街の連中による日本の植民地化は成功してしまいました。日本のメガバンクもそうですし、主要企業の株主をチェックしたらわかりますが、かなり外資が占めています。

もともと、米英のグローバルな金融資本にとって、金融の世界はインナーサークルみたいなところです。日本はイエローモンキーでしかありませんでした。日本人に席がないという世界です。

金融の仕組みは彼らが作り、彼らのサークルの中で運営されてきました。日本の銀行は、その席を取るために大変な苦労をしてきました。

金融はそういう世界で、米英の作ったシステムです。そこでイエローモンキーが金融力で強くなることは、彼らにとって許せないことだったと思います。

国家戦略の司令塔が必要

松田　話は元に戻りますが、馬渕大使が先ほどおっしゃった大蔵省と外務省の問題ですが、私は、戦略司令塔という省庁の枠を超え、国家戦略という立場に立った組織が必要だと考えています。

馬渕　おっしゃる通りですね。

松田　現在は、各省が部分最適を競い合っているだけです。これは官庁だけでなく、日本の業界も含めた縦割りの「戦後システム」の構造でもあります。

馬渕　官僚組織は縦割りなのです。それをまとめる司令塔が必要だということは前々から言われていました。そして、対外関係の司令塔を作ったような形にはなりました。例えば外政審議室や、今であれば国家安全保障局です。しかし、これらの組織は各省からの出向者で占められています。

だから、ダメなのです。これらの組織に機微な情報は行きません。それは、各省が出さないからです。

松田　出しません。私も外政審議室に初代で出向したことがあります。まさしく、寄せ集めの組織でした。

馬渕　寄せ集めにならざるを得ないのです。出向してきたメンバーは、みんな自分の出身省庁の顔色をうかがいながら仕事をしています。それは、いずれ、出身省庁に戻るからです。

松田　結局、自分の再就職の面倒を見てくれるのは、各省の官房ですから、どうしても、そちらを見ざるを得ません。

馬渕　これはね、まさに日本の縦割り行政の典型的に悪い面です。

松田　私が政治に出たのは、やはり政治家が高い戦略的見地から官僚を統括できるようにすべきだと思ったということもあります。

馬渕　しかし、残念なことに、最近の政治家は利権には目ざといが、政策の勉強には関心が薄い。私が入省した東西冷戦の時代では、政治家は官僚を呼んで勉強していました。政策通といわれている人は、官僚から詳しく教えてもらっているから、政策通になれるのです。

松田　官僚と仲良くすると政策通になれるということになっています。

馬渕　これが日本の実態です。それじゃいけないとおっしゃったのが安倍元総理です。安倍元総理は官僚の人事を一本化して主要な人事は官邸が決めるようにしました。しかし、これはものすごく官僚に評判が悪かったのです。

それは、もちろん、官僚たちが自分たちの好きなように人事ができないからです。だから今は、安倍元総理が作ったシステムは形式的には残っているかもしれませんが、形骸化し、各省が好きに人事を行っている状況です。

松田　安倍元総理は日本を取り戻すとおっしゃっていましたけれども、日本の軸をもう一度定め直すという、すごいことに挑戦されていたと思います。

しかし、メディアがモリカケ・サクラで、憲法改正も意図的に足を引っ張って、安倍元総理を攻撃していました。特定秘密保護法や平和安全法制を成立させ、次の段階まで、もう一歩というところまで行きながら、続けることができませんでした。

私は、そこに大きなグローバルな力が働いていたのではないかと思わざるを得ません。

戦後レジームは日本をパワーにしないこと

馬渕　私もそう思います。いわゆる戦後レジームというのは何だったかと言いますと、これはブレジンスキー（※）の本などを読んで自分なりにまとめたものですが、結局、日本をパワーにしないということです。

リージョナルパワーと彼は言いますが、パワーにしないということは独立国家にはしないということです。それでは、日本をどういう存在にしたいかというと、インターナショナルな存在であれと彼は言っています。

つまり、松田さんがおっしゃったように、世界でお金が必要になったら日本がそれを出す、そういう存在であれということです。実際、その通りになってきました。それから、日本は戦前、パワーとして、多くの領土を持ち力を持っていました。だから、米英は、それがまた再生しないように周りの国との不和の種を作り撒いたのです。

これは証拠が残っています。例えばロシアとの関係で言えば、当時はソ連ですが、北方領土、千島列島の範囲を曖昧にしたままにすることです。これは、イギリスの公文書館に文書が残っています。決めないほうがいいと。そうすると、ソ連と日本は北方領土、あるいは千島列島の範囲を巡って永遠に論争になるだろうと。これは自分たちにとって有利だという在日イギリス大使館の本国外務省宛ての電報が残っています。

※ズビグネフ・カジミエシュ・ブレジンスキー：アメリカの政治学者。1966年から68年まで、リンドン・ジョンソン大統領の大統領顧問を務め、77年から81年までカーター政権の国家安全保障問題担当大統領補佐官を務めた。

松田　なるほど。

馬渕　それからね、例えば韓国に反日教育をやらせたのはアメリカです。韓国を反日教育で洗脳し、日本と韓国が半ば永遠に反目するようにアメリカが仕向けたのです。中国との間では、尖閣の問題を解決しようとしていません。

尖閣については、アメリカはズルいのです。あれは日本の領土だとは一度も言わないのです。

松田　確かに、言っていません。

馬渕　それを日本人は誤解しています。安保条約5条の適用範囲内だと言っているだけです。それは、現に日本が施政権を行使しているからにすぎないので、施政権が中国に替わったら、5条の適用外になります。

そういうことを全く政府も言いません。言わないどころか、残念なことに歴代の日本政府は、アメリカの大統領に尖閣諸島は5条の範囲に含まれると言ってもらって喜んでいる始末です。

それは誰でも言いますよ。言うだけですから。中国と戦争するわけではありません。結局のところは、アメリカの狙いは、ブレジンスキーが目指した独立国家じゃない日本。アメリカのキャッシャー（現金支払機）の日本なのです。

アメリカが必要とした時には、日本の金で世界を支援する。簡単に言えばそういうことです。それが、戦後レジームなのです。

そこから脱却しようとすれば、当たり前のことですが、自前の軍隊を持たなければばなりません。戦争をするというわけではなくて、自立した国家になるためです。

日本の食文化を一変させたアメリカの政策

編集部　松田さんは日本の食についても警鐘を鳴らしています。どの点に問題があるのでしょうか。

松田　食の問題も調べると、第二章で言及したワクチン利権と似た構造があります。日本人は第二次大戦後、小麦を非常に多く食べさせられてきました。

戦後、アメリカの余剰小麦をどこで売ったらいいか、それに対するアメリカの穀物商社の答えが日本でした。カリフォルニア州で取れた小麦をロッキー山脈を越えて東部に運ぶより、太平洋を越えて日本に持っていったほうが、運賃が安いのです。だから、第二次世界大戦で日本に勝利したアメリカが、この際、日本人を、小麦を食べる民族にしようと洗脳しました。もともと日本人の主食は米です。

そのため、アメリカは、キッチンカーを日本人の集落や団地に派遣し、小麦で揚げたコロッケを配って、「おいしい、おいしい」と言わせながら食べさせて宣伝しました。さらに、学校給食もパン食にしました。日本の小学生全員が、ほぼ強制的に昼ごはんはパンを食べさせられたのです。

私もそうでした。小学生だった当時、なぜ日本人なのに、パンばかり出てくるのかと疑問に思ったものです。アルミ製の器に入ったミルクという名の脱脂粉乳まで飲まされました。

これによって日本人の食生活は完全に変わりました。米食からパン食へと転換していったのです。一民族の食生活を、こんなに短期間で変えたという歴史は今までにないそうです。それを日本人は強いられたのです。

さらに、そのため、小麦をアメリカに依存するようになりました。現在、ウクライナ戦争後の経済制裁で小麦が高騰し、パンの値段が上がっています。

日本に弥生時代からあるお米は値段が上がっていません。

小麦だけでなく、アメリカには大豆、とうもろこし、牛肉、豚肉などを依存しています。もともと日本人のタンパク源は魚肉や鶏肉でした。アメリカに依存するようになって、牛肉や豚肉を多く食べるようになり、今では、食卓に欠かせない食材になっています。

さらに、牛や豚や鶏の飼料や、農作物を作る肥料もアメリカに依存するようになり、日本の食全体が、アメリカに依存せざるを得ない構造になっています。これが戦後、アメリカによって、ずっと日本で作られてきた食の構造です。

さらに、アメリカの穀物商社やグローバリストは日本に対して、学校給食だけに収まらず、さまざまな政策を要求してきました。一つは種子法があります。グローバルな種子会社の知的財産権を独占するために、日本に制定させた法律です。

日本の農家と農業を守ってきた農協

松田　農協に対するバッシングもそうです。私が体験した大蔵省バッシングと同じ手口です。「日本の農協は守旧派でけしからん」と、議論を巻き起こしたのです。

グローバルな穀物商社に対しては、個々の農家ではバーゲニングパワーで対抗できません。農協としてまとまって交渉すれば力になります。巨大な購買力のパワーで安く買い叩かれないような交渉のためには、農協の存在は必要です。

農業の資材の購入もそうです。足元を見られて高い金額を提示されないように、農家の協同組合である農協は力強い味方になります。これが、グローバルな企業や商社にとって気に食わないのです。

協同組合組織というのは、彼らにとって気に食わない存在。だから、「農協は守旧派だ」と攻撃をしてきたのです。そして、日本の官邸筋をたきつけて、構造改革や規制緩和を進めさせました。

私は、農水省の官僚であった鈴木宣弘さん（東京大学大学院教授）と私のチャンネルで対談をしたことがあります。確かに農水省は農協にも問題があったことは認識していました。

しかし、グローバルな商社と交渉するにあたって、農協は必要であり、それが日本の農家にとっても頼りになる存在であったとも話していました。

日本の食がアメリカやグローバルな商社に大きく依存している状況では、結局、日本の食が彼らの思惑によって支配される事態を防ぐことができなくなります。

例えば、成長ホルモンの問題です。

成長ホルモンを食用肉の家畜に注入すると、成育が早まり、安価な肉製品が供給されることになるそうです。しかし、その肉を食することが人体に与える影響の問題があって、アメリカの消費者からは歓迎されていないそうです。だから、日本に輸出しています。

現在、欧米の人たちの健康志向は非常に高まっています。そのため、遺伝子組み換えや成長ホルモンなどで、欧米で売れなくなった食材がかなり日本に入ってきています。遺伝子組み換え食品も、日本で表示が2023年4月から変わりますが、よくわからなくなりました（現在、すでに変更ずみ）。

先ほども申し上げたように、日本はアメリカの穀物商社やグローバルな企業に依存してしまっています。だから、欧米で売れなくなった食材に対して、日本は拒否ができない状況です。さらに、官邸筋がグローバルな勢力に取り込まれているというのが、鈴木宣弘さんの見方です。

その官邸に対して、農水省は国民の食を守ろうとしているようです。そこに、官邸と農水省の激しい確執が起きているそうです。

官邸はその農水省を追い詰めるために、「農水省の岩盤規制に穴をあける」と言って、農水省を攻撃している始末です。

このような状況の中、最も不利益を被り、だまされているのは日本の国民です。確かに、安いものが入るから消費者の利益であるといわれます。しかし、安いけれども、健康に良くないものを食べることになったら利益でも何でもなく、結局、そちらのほうが高くつくことになります。

そもそも農業は自由貿易になじまない

馬渕　農業にとって自由貿易協定が最大の問題点です。私は農業を自由貿易協定の対象にすべきでないと言い続けてきました。もう、外務省を退職した人間なので、それほど力にならないかもしれませんが、そもそも農業は自由貿易にはなじまないと考えています。

農業は地産地消ですから、余った場合には輸出してもいいとは思いますが、日本は余っていません。

輸出のための農業は本来必要ありません。自給率がカロリーベースで40パーセントを切っているのに、攻めの農業とかいい、付加価値をつけた農産物の輸出を奨励しています。これは発展途上国がやってきたことです。国民は肉を食えないのに肉を輸出しているというとんでもない構造です。

例えば、かつてのエチオピアがそうでした。肉を輸出して、国民が飢えていました。日本が今農業で、高い農産品を海外の富裕層に向けて輸出しているということは、まさに植民地的なやり方です。

だから、農業は自由貿易から外すべきです。安いものが手に入って潤うというのは、工業製品まででで、これもあまり良くありません。しかし、質が悪いけれど、工業製品で死ぬということはほとんどないのでしかたないでしょう。しかし、食料は別です。

健康を害するのです。場合によっては死ぬこともあります。だから、自由貿易にはなじまないのです。TPP（環太平洋パートナーシップ）でも何でも、農業は外さなければいけません。

そもそも、アメリカはどんどん補助金を出しながら、日本の補助金はけしからんといっているわけで、理不尽です。EUも同じです。力関係があるとはいえ、いつまでも、日本人の健康をないがしろにさせてはいけません。

松田　ＥＵの補助金の農家所得に対する割合は、２３５パーセントだそうですが、日本は30パーセントほどです。ＥＵ諸国では、農業は国家がやっているようなものです。

欧米では食料は国家安全保障の要です。最も安くつく安全保障であるといわれています。１機ミサイルを作るお金で、どれだけの食料政策ができるでしょうか。想像するだけでも、わかると思います。

馬渕　食料とエネルギーが自給できないと、本当の意味で超大国にはなれません。その観点から見れば、今、世界の超大国はアメリカとロシアです。

中国はこの二つは自給できません。中国は超大国ではありません。これについてはアメリカの国際政治学者であるエドワード・ルトワックも指摘しています。中国礼賛者は間違っています。中国はマーケットとしては大きいけれど、決して超大国にはなれません。

ロシアはこの二つが自給できます。今度のウクライナ戦争でその意味がわかりました。だから、ＥＵ諸国などは皆ロシアに依存していたのです。エネルギーも食料も。それで、逆に制裁しているものだから、そのツケが制裁している国に回っているのです。

ロシアがウクライナに侵攻したから世界が物価高になったというのは違うのです。ロシアに対して、やらなくていい度を越した制裁をしたから、そのツケが欧米などに来ているのです。

松田　逆に言うと、中国は自給していないから、人口大国として世界中から食料とエネルギーを奪っていく、そういう怖い存在であるわけですね。地球が中国をいつまで支え続けられるのか、大きな問題だということは、中国が世界市場に参入した今世紀初めごろから言われてきたことです。

馬渕　食料とエネルギーを中国に輸出しないといえば、中国は干上がるだけです。その点がまさに中国の弱みです。食料とエネルギーの対外依存度をできるだけ減らす、それが広い意味での安全保障の一つです。

参政党にやってほしいのは、食料自給率の100パーセントは無理にしても、80パーセントくらいにはしてほしいと思います。それは米作をやればできるのです。戦前は米と梅干中心の生活をしていたのですから。

松田　農水省がカロリーベースで食料自給率38パーセントと言っていますが、穀物自給率では28パーセントしかありません。世界的には穀物自給率が目安にされていますが、他の主要国は100パーセントのところが多いのです。

農水省が以前、日本人の食生活を日本食に戻したら、どれくらい自給率が上がるか計算すると、63パーセントになったそうです。しかし、その数字がネットから消されてしまったらしいです。日本が自分の手で自給するという発想自体が、タブーになっているということです。

馬渕　先ほども話したように、日本を自立させないというのが、アメリカの戦後の対日政策です。日本をパワーにしない、独立国にしないというのが、アメリカの狙いでしたから、食の面でも同じなのです。

第四章　グローバリズムvsナショナリズム

（2022年10月収録。一部、2023年9月の状況に合わせて修正）

グローバリズムとは何か

編集部　この章では、松田学氏と馬渕睦夫氏が批判しているグローバリズムについて言及したいと思います。グローバリズムとは何なのか、現代のグローバリズムとはどのようなものなのか、そして、それに対抗するにはどうしたらいいのか、その点を論議していただきたいと思います

その前提として、馬渕氏がグローバリズムに言及している文章があるので、引用したいと思います。引用元は『日本を蝕む新・共産主義』（徳間書店）です。

「みなさんはグローバリズムについての意味を調べたことがありますか？

世間にはグローバリズムを〝海外進出〟や〝国際化〟のような意味合いで捉えた使い方の広告や記事も見て取れますが、実はその本義とはニュアンスが大きく異なります。

地球全体をひとつの共同体と見なして、あらゆるモノの移動、拡大が国境を越えて行われ、世界の一体化を目指す思想、それがグローバリズムです。そこに国家観

は存在しません。

私たちが〝国際化〟として考えてきたことは、国家同士が結びつきを強め、相互に影響しあう国家と国家の関係性でした。実は、私たち日本人は〝国際〟という言葉自体が持つ意味を独自に解釈してきたのです。

本来、〝国際〟とはユダヤ思想であり、〝インターナショナル〟とは国境を超越した関係を意味していたのです。ですから、私たちが使っている〝国際〟とは本来の〝インターナショナル〟の意味ではなかったということです。

世界の一体化とはつまり、国境の概念をなくすこと。金融や貿易といった経済面はもとより、人権や環境の問題も世界標準に合わせるための取り組みが進んでいるのはみなさんご承知のことと思います。

グローバリズムを理解するうえで、グローバリズムという思想の根源はユダヤ思想であるということを知る必要があります。もちろんこれは、ユダヤ人という人種について云々することではありません。そこはしっかり区別しなければならないことです」

以上、グローバリズムの端的な説明です。では、より論議を深めていただきたいと思います。

松田学氏（以下、松田） まず、グローバリズムについて語るとき、最初に明確にしておきたいのは、私が二章や三章でグローバル勢力を批判してきたのは、特定の個人や民族などを批判するのが目的ではないということです。

グローバリズムという「イズム」、つまり、考え方や行動様式を批判しているのであって、例えば、グローバル金融資本がユダヤ勢によって握られているとしても、ユダヤ人そのものを批判したり、反ユダヤ主義に立っているものでは毛頭ありません。現に私は、ユダヤと近しい関係にある多数の方々と、とても親しくしております。

恐らく、グローバリストと言われる人々は、世界の人口のゼロ・コンマ何パーセントに満たないでしょう。その少数の人々が自らの利益のために世界を同質化し、各国の歴史や文化などの独自性や国家主権、さらには民主主義まで否定し、格差を拡大させ、ほとんどの人類から富を収奪することで利権追求に走る姿を批判しているわけです。

また、そうしたグローバリストの手先になって、「今だけ、カネだけ、自分だけ」の風潮が日本でも近年、強まっていることに警鐘を鳴らしているつもりです。これは本来の日本人の生き方とは真っ向から反するものです。

これを前提にグローバリズムについて議論を進めるとすると、まず、現在、岸田政権がグローバリズムに席巻されているのではないかという問題意識がどうしても出てくるのですが、大使はこのことをどう見ておられますか。

馬渕睦夫氏（以下、馬渕）　そうですね。それは岸田政権のみならず、歴代の政権がグローバリズムの圧力の下で政権運営を行わざるを得なかったと思います。その中で、ナショナリズムとグローバリズムを、どう上手く両立させるかということで一番苦労されたのが、私は安倍元総理だと思っています。

グローバリズムを全否定はできません。もちろんグローバルな交流はしていかなければなりません。主権国家を前提とするグローバルな交流と国境を廃止するというグローバリズムは全く別物です。

だから日本という軸を守りながら、グローバルな交流をどう進めるのかが大切になります。
しかし、今の自民党のほとんどは、グローバルな交流ばかり進めて、日本という軸がありません。

松田　おっしゃる通りです。

馬渕　日本という軸なしに、グローバルな交流ばかり進めているから、行き当たりばったりの政策になってしまうのだと思います。グローバルな勢力に、こっちだと言われたら、こっちへ行き、あっちだと言われたら、あっちに行くというような状況にあるのです。

松田　私も岸田政権には軸がないなという感じがしています。安倍元首相が凶弾に倒れてから、旧統一教会の問題にしても、国葬を巡る議論にしても、日本は簡単にプロパガンダにやられてしまうという危機感を非常に感じました。

馬渕　私もそう感じます。

安倍元総理の国葬に見るプロパガンダ

松田　暗殺事件の背景までは、私にはわかりませんが、この間の一連の動きを見ていますと、安倍元総理という存在自体が日本を守っていた、と感じています。安倍元総理が亡くなって、安倍氏の流れである清和会や、いわゆる国益派を一掃するような動きが起こっています。そのようにメディアが論調を作っていきました。それを見ると、メディアのバックに何かがいるとしか思えない状況です。

これは、逆に言うと外国からの世論工作に対して、日本はものすごく脆弱な国であるということを改めて示したと思います。特に国葬に対する反対意見が多かったことがそうでした。

私も当時参政党の代表として安倍氏の国葬に行って参りましたが、あの時に報道されていたのは日本の中に国葬について賛否両論があるという内容でした。どのメディアも賛否両論を必ず報道していました。海外のお客様は、その報道を見て、ビックリしたようです。

しかし、メディアが日本は分断していると散々報道しましたが、実際は、多くの若い人たちが何時間も並んで献花をしていました。武道館のある九段下から半蔵門を過ぎて四谷まで何㎞にもわたって行列ができていました。

一方、国葬反対の声を上げている人は、半蔵門の駅前にはほんの数人しかいませんでした。

メディアが分断ばかりを強調していましたが、若者も含めて多くの人々は安倍元総理に献花をするために行列を作っていました。それが本当の日本人の姿です。

メディアの世論調査もいい加減なものです。本当に国葬反対と思っている人がどれぐらいいるのか、正確なところはわかりません。

安倍元総理の国葬を通じて、日本人に一体感が作られ、日本の国が強くなろうとするのを何かが押さえつけようとしている、そういう大きな力学が再び働いているのだと感じました。

馬渕　その通りです。その結論を先に言えば、安倍元総理が「日本を取り戻す」とおっしゃった意味の大きさです。

メディアについては、私もいろいろなところで申し上げています。私たちは、メディアについて最初から誤解しています。

メディアを私たちは報道機関だと思っていますが、違います。メディアはプロパガンダ機関なのです。これは自信を持って言えます。日本のメディアも報道機関ではありません。プロパガンダ機関です。

アメリカのメディアはもちろんです。今のアメリカのメディアは、グローバリストに乗っ取られています。これは陰謀論でも何でもありません。彼ら自身が断言しています。現在の日本は民主主義国とは言えません。日本だけに限らず、ほとんどの国がそうではありません。アメリカ自体が違います。

グローバリストは、１００年前のウィルソン大統領（※）の時に、どうすれば選挙民のいるアメリカで、自分たちの望む政治を実施することができるか、そのやり方を考案しました。

選挙民がいるということは、つまり普通に選挙が行われる国です。選挙そのものをなくすことはできない、だとすれば選挙があることを前提に、自分たちが自由に統治し、自分たちが独占して政治をすることができる方法を企てたのです。それで考えだしたのがメディアを利用することでした。

メディアを使って、自分たちの政策を、あたかも国民一人ひとりの意見だと思わせる洗脳をすると、彼らはハッキリ言っています。

ウィルソン大統領の広報委員会に勤務していた〝広報のプロ〟であるエドワード・バーネイズは、『プロパガンダ』（成甲書房）で、「アメリカの支配者は目に見えない存在である」こと、そして、「アメリカのメディアを支配している勢力がアメリカの真の支配者である」ことを指摘しています。

このように、グローバリストの勢力はメディアを使って国民を洗脳し、いわゆる「民主主義国」における国民を統治するのです。つまり専制統治です。それをアメリカは、ウィルソン大統領の時代からやっています。日本も、戦後、それをそのまま輸入してやっているわけです。

※ウィルソン大統領：アメリカの中立政策を放棄し、第一次世界大戦に参戦した第28代アメリカ大統領。第一次世界大戦後に「十四か条の平和原則」を発表し国際連盟を創設したが、アメリカ自身は参加することはなかった。

目に見えない統治者がアメリカの真の支配者

馬渕　『プロパガンダ』という本からもわかる通り、ディープステートというのは陰謀論でも何でもありません。先に書いたように、この本を書いたエドワード・バーネイズはアメリカ大統領の広報委員会の〝広報のプロ〟です。

繰り返しになりますが、その広報委員会の彼が、国民に気づかれずに国民の世論をコントロールできる人が、「目に見えない統治機構」を形成していると書いているのです。

目に見えない統治機構というのは、ディープステートのことです。目に見えない統治機構がアメリカの真の支配者であり、アメリカの大統領は支配者じゃないと、堂々と書いています。

広報委員会は、ウィルソン大統領のもとでアメリカ世論を操作し、アメリカ国民を洗脳する役割を担っていました。

当時のアメリカはルーズベルトの時代と同じく、ヨーロッパの戦争に対しては中立政策をとっていました。アメリカ国民にとって、特に若い青年たちを持つ親にとって、大西洋を越えて、他の国のために子どもの命をささげるなど、絶対に許せることではなかったのです。

そのアメリカ国民の世論をドイツとの参戦へと向かわせるために、工作をしたのが広報委員会です。有名な組織ですが、バーネイズの名前も含め、ほとんどの歴史教科書には出てきません。

バーネイズのほかにはウォルター・リップマン（※）などがいました。

彼らは工作員です。その彼らがメディアを乗っ取ってから、メディアは工作機関になりました。彼らの影響下にある今の日本のメディアも同じです。

※ウォルター・リップマン：アメリカの著作家、ジャーナリスト、政治評論家。2度のピュリッツァー賞を受賞。第一次世界大戦中には、ウィルソン大統領のアドバイザーを務め、情報将校として渡仏しドイツに向けて宣伝ビラを作成。「十四か条の平和原則」の原案にもかかわった。

もう若者たちはメディアを信じていない

馬渕　私は、別に日本のメディアはけしからんというつもりはありません。メディアはもともと報道機関じゃなくて工作機関です。ですから、けしからんといっても意味はありません。

私は日本人に広くメディアは報道機関ではなく、工作機関であるということに気がついてほしいと思っているのです。

そして、最近の国民はもう感じ始めていると思っています。

今時、新聞を読む人はかなり少数派です。若者はテレビのニュースも見ません。テレビのニュースを見るのはSNSを駆使できない団塊の世代以上の人たちです。団塊の世代以上の人たちは、テレビの言うことは正しい、NHKがこう言っているから、これは正しいといまだに思っています。これが、目に見えない統治機構のやり方です。

だから、早く団塊の世代以上の方にも、このことを理解していただきたいと思っています。日本国憲法は言論の自由を保証していますが、私たちの言論は目に見えない形で支配されています。このことに早く気づいてほしいのです。

参政党には、既存のメディアは宣伝機関であることを、大々的にアピールしてほしいと思います。その代わりにメディアからはパージされるかもしれませんが……。

彼らの意見は無視していいのです。あるいは反面教師にするかです。ＮＨＫや朝日新聞の報道など気にする必要はありません。いまだに自民党の議員は気にしていますが……。

だから、安倍元総理が朝日新聞を、あれだけ叩いたのは、すごいことだと思います。

すでに、若者を中心に、かなりの国民は、申し上げたように既存のメディアを見ていません。ネットのさまざまなニュースを選択して見ています。ニュース解説も右から左までいろいろありますから、選択は大変ですが、そのような状況です。

私たちがかつて思っていたような役目をテレビも、新聞も果たさなくなっています。新聞も読みたいところを読み、テレビも見たいところだけを見る、そういう時代です。

そういう時代になっているということを、当の既存のメディア自体が気づいていません。これはもうお笑い以外の何ものでもありません。

松田　本当にそうですね。2022年7月の参院選で参政党に多くの人々が予想した以上の支持が集まったのは、日本国民がそのことに気がついてきたからだということがあると思います。やはり何かおかしいと思っている人が、すごく増えている。参政党はメディアが言わない本当のことを言っていると思った国民がすごく多かったと思います。

反グローバリズムは反ユダヤ主義ではない

編集部　メディアはイエロージャーナリズムも含めて、ディープステートを語ると必ず中身を見ずに陰謀論とレッテル貼りをします。そして反グローバリズムを語ると反ユダヤ主義と攻撃してきます。それは、彼らの常とう手段だと思いますが、馬渕氏や、特に参政党の前代表である松田氏はどのように考えていらっしゃるのでしょうか。

馬渕　決して、私は反ユダヤ主義ではありません。引用していただいた文にも書いてありますが、反ユダヤ主義ではなくて、ユダヤ思想の根幹を知っておかないと間違うということです。

一方で、ナショナリズムというと、極右だとか国粋主義と思われてしまいます。これ自体も洗脳です。ナショナリズムという言葉自体、そういうふうに私たちは洗脳されています。

日本人は時々、健全なナショナリズムという言葉を使いますが、これ自体おかしな言葉です。健全じゃないナショナリズムがあるということになります。

健全なグローバリズムという言葉をほとんど聞かないのと対照的です。ナショナリズムの本当の意味は、愛国主義です。しかし、この言葉も愛国党と勘違いします。それほど、日本人にナショナリズムや愛国主義自体が、否定的なものとして洗脳されているのです。

松田 今、ヨーロッパでは、ナショナリストの政党である「イタリアの同胞」が政権に入ったり、ドイツでも、「ドイツのための選択肢」が議席を伸ばしたり、ルペン（マリーヌ・ルペン）が大統領選で40パーセントを上回る国民の支持を得たりしています。しかし、彼らのようなナショナリストの勢力は、最初は、反ユダヤ主義だとか極右とかポピュリズム政党だというレッテルを貼られています。

馬渕　グローバリストはナショナリストに対して、さまざまなレッテル貼りをします。反ユダヤ主義や陰謀論などです。

編集部　批判ができないからレッテル貼りをするわけですね。

馬渕　ほかには、ファシストがあります。

ファシストは、歴史上、人類史上最も悪い連中となっていますが、ファシストという言葉を誹謗中傷語に変えたのが共産主義者です。共産主義者はロシア革命時に犯した大量虐殺や強制労働を隠すために、巨悪ファシストというスケープゴートを発明したのです。

第二次世界大戦で、その共産主義者のスターリンと手を組んだのが自由主義者であるはずのアメリカです。それは、人類史上最も悪いヒトラーのファシズムを倒すためだといわれてきました。

ファシズムが共産主義（コミュニズム）よりも悪いから手を結んだとなっています。しかし、その根拠が数年前に崩れました。このことを私は『ディープステート』（WAC）で書いていますが、欧州議会が2019年9月に「欧州の未来に向けた重要な欧州の記憶」を決議しました。

その決議では、「第二次世界大戦の原因は独ソ不可侵条約とポーランド分割を約束したその秘密議定書だ」と断定しています。要するに、ファシズムと同様にコミュニズムも悪いと見なしたということです。

第二次世界大戦でアメリカがソ連と組んだのは、ファシズムがコミュニズムより悪いからと説明されてきましたが、ここで、ファシズムとコミュニズムが同等の悪となったわけです。

ヒトラーとスターリンは同罪なのです。これはこれまでの正統派歴史観を根底から覆す画期的な決議と言えます。

松田　同等まで悪になったわけですね。

馬渕　そして、次は、コミュニズムのほうがファシズムよりも悪いというところまで行かなければなりません。しかし、ここに行くまでは、また何年かかるかわかりませんが。

英雄と英霊の違いがわからない人々

馬渕　レッテル貼りでは、さらに、歴史修正主義者、いわゆるリヴィジョニストがあります。

安倍元総理も靖国神社に参拝した時には、リヴィジョニストと言われました。言うまでもなく、靖国神社参拝は歴史修正主義と関係ありません。日本は戦いで亡くなったら英雄になるのではなく英霊になるのです。

この違いがグローバリストはもちろん、欧米人にはわかりません。日本の独特の文化です。アメリカの兵士の戦死者は英雄になります。しかし、私たちは違います。東條英機が英雄だと思っている日本人はいません。英霊です。だから、私たち日本人がお参りすることは何もおかしくありません。

松田　その通りです。もともと日本では、亡くなられたら皆、どんな人でも「仏さま」になります。いったん極悪人だと決めつけられてしまった人は、死んでも永遠に極悪人として指弾し続ける中国などとは、考え方が根本的に異なりますね。

馬渕　靖国神社に行くと、アメリカは極悪人を英雄として賛美しているという誤解をします。これは外務省も悪いのです。外務省の役人も洗脳されてしまっているので、英雄と英霊の違いを対外的に説明できていません。

英霊への祈りは、日本国のために命をささげてくれた戦士たちへの感謝を込めた鎮魂の祈りです。靖国神社は、その戦士たちにとって己の御霊が祀られる場所だったのです。私たち日本人の靖国神社参拝の意義を外務省の役人も、リベラル日本人にもわからない人が多い、残念なことです。

靖国参拝への批判などに対する外務省の対外向け回答は、「日本は先の大戦をもう十分謝っております」というものです。これが応答要領です。在外公館の私のところにも来ました。私は、このような応答要領はまったく無視していました。

カストロに伝えた拉致

馬渕　少し本題からずれますが、外務省の事なかれ主義的応答要領に関して少しお話ししておきたいことがあります。2002年のことです。私はキューバ大使でした。

小泉訪朝が終わって、外務省から、北朝鮮との平壌宣言を送ってきました。これをキューバ政府に通報しろということでした。しかし、私は、北朝鮮との国交回復への道筋も重要ではあるが、北朝鮮が拉致を正式に認めたことに歴史的価値があると判断したので、通報文書の冒頭に「北朝鮮は日本人拉致を認めて謝罪した」と書いて、キューバ政府に送りました。もちろん、東京にもこの対応ぶりを報告しましたが、特におとがめはありませんでした。

拉致問題については外国に対する丁寧な説明が必要なことを実感しました。カストロ議長は翌年の日本立ち寄りの際、綿貫衆議院議長から拉致の実際について詳細に具体的な説明を受けて、「同じ社会主義国家である北朝鮮がそういう非道なことをするのは信じられない」と本当にびっくりしていました。

その後の小泉純一郎首相との首脳会談でも、拉致問題が話題になり、小泉首相は「北朝鮮に、『残りの拉致被害者を日本へ返すように』と伝えていただけるとありがたい」とカストロ議長に依頼されました。

カストロ議長は、その約束を果たしてくれました。私は、キューバ政府に呼ばれて、北朝鮮からの回答をいただきました。それ自体はおざなりの回答だったですけれども、キューバは律儀にも約束を果たしてくれたのです。私は、そういう意味で、カストロ議長を評価しています。

外務省の主流派は親米保守

松田　馬渕大使にお尋ねしたいのですが、もともと外務省の主流派は親米派であり、私たち他の官庁はナショナリズムとは対立する官庁として外務省を見ていたのですが、グローバリズムの攻勢が強くなって以降、その傾向がますます強くなったのでしょうか。

馬渕　完全に親米です。共和党のジョージ・W・ブッシュの時から、顕著になりました。要するに、ネオコン政権と上手くやろうというより、やっていかざるを得ない状況です。

プーチン大統領は２０２２年9月30日の演説で、韓国、ドイツ、日本はアメリカの占領下にあると指摘しましたが、その通りです。逆らうことは難しいのです。対米交渉のアメリカ側窓口であるジャパンハンドラーといわれている人たちは、みなネオコンの関係者です。

松田　なるほど。

馬渕　それと、いわゆる「親米保守」といわれている人たちも同じです。彼らは親米ではあるけれど、保守ではありません。彼らも親ネオコンと言えます。学界や雑誌やネットを含む言論界にも親米保守勢力が存在していますが、彼らは概ね親ネオコンです。

松田　そうですね。保守系論壇といっても、多くは「プーチンけしからん」に偏った考え方で、オピニオン誌ができています。

馬渕　繰り返しますが、親ネオコンは保守ではありません。ネオコンは世界統一を目指している革新勢力です。そもそも、親米保守という言葉自体が形容矛盾なのです。

日本の外務省と交渉しているアメリカの国務省はネオコンに支配されています。安倍元総理は、ロシアと交渉し、新たな平和条約を結ぶ直前までいきました。しかし、その条約を潰しにかかったのは、実はアメリカ国務省なのです。

トランプ大統領になって少し変わりましたが、アメリカの官僚機構にはディープステートの手先が入っています。国務省は顕著です。だからアメリカは安倍元総理とプーチン大統領の交渉を潰しにかかったのです。

日本の外務省もアメリカの国務省と一緒になって、安倍元総理の足を引っ張ったと思われます。安倍元総理も、なぜ外務省がそんなにロシアとの北方領土交渉に消極的なのかと、嘆いておられました。

プーチン大統領の論文を読めばわかりますが、プーチン大統領は巨悪ではなくて、ものすごく親日家です。

プーチン大統領のロシアが直面している問題は、まさに、この章の冒頭に書いたグローバリズム対ナショナリズムの葛藤です。これをどう解決するかにあります。

グローバリズムとロシアのナショナリズムであるスラブ主義をどう共存させるかということがロシアの喫緊の課題だというわけです。

そして、そのモデルは日本にあると言っています。

日本は明治維新の時に、西洋化と日本の伝統を上手く両立させて今日の経済発展の基礎を築きました。

これがまさにグローバリズムとナショナリズムを融合させるモデルであると言っているのです。

だから、「日本を取り戻す」とおっしゃっていた安倍元総理と、プーチン大統領の考えは非常に近いものがあったと思います。私は、歴史観や世界観が近いお二人の交渉が成功しないはずはないと思っていました。しかし、日露共にものすごく抵抗が強かったと、安倍元総理はおっしゃっていました。

戦争をし続けてきたネオコン

馬渕　アメリカのほかにも、ロシアの国内にも、日露の関係強化に反対する勢力がいます。ユダヤ系のグローバリストです。一部はプーチン大統領と協力していますが、グローバリストですからプーチン大統領のスラブ主義に対しては潜在的な反対勢力です。

ユダヤ人が悪いということではありません。ユダヤ人の思想がグローバリズムで、世界統一ですから、ナショナリズムとは潜在的に対立するのです。

さらに、彼らは金融力を持ち、その力で各国を支配し、その国の軍事力を使って彼らの目的を達成していきます。例えばアメリカでいえば、先ほどから話しているネオコンです。

現在のアメリカの政権はネオコン政権です。ですからアメリカ国民の血税をいくらでも利用できます。

実際、ウクライナ戦争のために膨大な支援をしています。

ネオコンは、第二次世界大戦後ずっと戦争をしてきました。

そして、戦争の口実に嘘の情報を利用します。湾岸戦争の後、イラクのフセイン大統領が大量破壊兵器を隠し持っていると、CIAがレポートしました。そのレポートに基づいて、2003年、ジョージ・W・ブッシュはイラク戦争を始めたのです。

その後、CIAにドイツ連邦情報局を通じて、大量破壊兵器の情報を流したイラク人は、その情報は嘘だったと告白しています。さらにイラクに大量破壊兵器があるかどうかを調査したアメリカの派遣団は、結局、大量破壊兵器を見つけることはできなかったと発表しています。

最初からCIAは嘘でもいいから、戦争を起こすための口実が欲しかっただけです。そして、嘘がばれたら、開き直って、だまされていましたと報告しているのです。

イスラム国（IS）を作ったのもネオコンです。それは、紛争を起こす駒としてネオコンの工作に使えるからです。しかし、そのＩＳをアメリカは人類の敵だと言いながら、シリア内戦の時に、攻撃しているふりをしながら、実際は、攻撃をしていませんでした。

その後、２０１５年にロシア軍が、シリアのＩＳの掃討作戦を決行したら、瞬く間にＩＳは崩壊して壊滅しました。それはなぜかといえば、初めて、まともにＩＳが攻撃されたからです。

ここからも、アメリカがまともに攻撃をしていなかったことがわかります。

松田　表と裏があるということですね。

馬渕　日本のように国軍を持たず、ＣＩＡのような情報機関を持たない国は、防衛を日米同盟に頼っていますから、アメリカと付き合うことはやむを得ないと思います。

ただし、その時に、複眼思考で、アメリカの言っていることが正しいかどうかを客観的に判断し、アメリカが何を考えているのかを、ワンクッションおいて、見極める余裕が必要です。

日米開戦の真実

松田　馬渕大使は、アメリカが日本に日米開戦を仕掛けた背景をどのように考えていらっしゃるのでしょうか。

馬渕　私は中国を共産化するためだと思っています。蔣介石は日本との支那事変をやめたかったのです。しかし、それに対して、「やめるな」と言ったのがアメリカです。これは、今、ロシアとの戦争に対して、ウクライナにやめるなと言っている状況と似ています。

常識的に考えれば、現在のロシアの軍事力とウクライナの軍事力を比べれば圧倒的な差があることがわかります。それを、アメリカは、あたかもウクライナ軍がロシア軍と同等あるいは勝っているかのようなフェイクニュースを流し、武器を援助して、「ウクライナ頑張れ」と言っているのです。私はウクライナの一般国民に犠性を強いる罪深いことだと思います。

日本もそれに同調していました。日本は事実上、ウクライナ側に立って参戦したのです。岸田総理はバイデンの言うことを、そのまま受け取って、率先して実践しています。

EU諸国とウクライナ、EU諸国とロシアの関係、日本とウクライナ、日本とロシアの関係は全く違います。日本の国益から考えて、その点を見誤ってはいけないと思います。EU諸国はウクライナやロシアと関係が深いですから、非常に粘り腰で、アメリカと交渉しています。

アメリカに言われてEU諸国はロシア産の原油禁輸をやりましたが、それは、2022年の年末からでした。

なぜ年末かといえば、アメリカの中間選挙が11月にあったからです。11月の中間選挙の結果次第では、アメリカのウクライナ紛争に関する政策が変わるかもしれなかったからです。

これ以上、制裁はしないとなる可能性もありました。上下両院を共和党が過半数以上を占めれば、その可能性は非常に高かったのです。だから、対露制裁にEU諸国は慎重でした。

松田　ＥＵ諸国はしたたかですね。

馬渕　話を支那事変に戻せば、アメリカが毛沢東を支援していることを、当時の日本政府は見抜けませんでした。だから、日本がいくら蔣介石と和平をしようとしても成立しません。

アメリカが毛沢東を支援しているということがわかっていれば、支那事変の収め方があったかもしれません。逆に蔣介石と裏で手を結んで、共産党をやっつけようとすればよかったのです。

毛沢東が逃げ延びた延安に、アメリカは外交官を送っています。そのうちの一人はジョン・エマーソンといって、ライシャワー大使の時の日本の公使を務めています。

アメリカでは、ルーズベルトの時代に、共産主義者が政権の中枢に入り込んでいました。そして少なくともルーズベルト政権は容共の政権でした。

そのことを日本政府がつかんでいれば、対米交渉も変わった形になったと思います。なぜ、ルーズベルト政権がスターリンに甘かったのかを、より深く突き詰めるべきでした。

日本はこの間ずっと共産主義と戦ってきた

松田　当時のアメリカ国民はルーズベルトが容共であると知っていたのでしょうか。

馬渕　知らなかったでしょう。そもそも、当時のアメリカ国民の8割はヨーロッパの戦争にも、日本との戦争にも反対でした。特に議会は絶対反対だったのです。言われているように、その反対世論と議会をひっくり返すために、ルーズベルトは日本をギリギリまで追い詰めて、先に戦争を仕掛けるように挑発したのです。日本に宣戦布告をさせるよう追い詰めていきました。アメリカからは宣戦布告は国民や議会の反対があって、できません。しかし日本が宣戦布告してくれれば、別です。戦争ができます。そして、日本はその陰謀にまんまとはまってしまったのです。

現在、ルーズベルトが日本を挑発して真珠湾攻撃をさせたのは、ドイツと戦争をしたいからだという、「裏口参戦論」が言われています。

しかし、日独伊三国同盟では、日本が宣戦布告しても、他の国に参戦する義務はありません。参戦する義務は、日本が攻撃された場合です。

日米戦争でいえば、アメリカが日本に宣戦布告すれば、ドイツは参戦する義務を負うことになります。しかし、日本の宣戦布告ではドイツは参戦する義務はありません。ドイツがアメリカに参戦するかどうかは、ヒトラーの気持ち一つです。

だから、そのような不安定なもののために、ルーズベルトが、ハルノートを出して日本を追い詰めてまで、危ない賭けをするとは思えません。

結局、ドイツの参戦を促すための「裏口参戦」ではなく、ルーズベルトは日本と戦争をしたかったのです。

理由は、支那事変に割いている日本の軍事力を、アメリカと戦うことで、分散化させたかったからだと私は考えています。毛沢東の共産党を温存し、共産党政権を作るためです。

松田　そういう意味では、日本はこの間ずっと共産主義と戦ってきたと言えるのですね。

馬渕　そうです。その意味ではプーチン大統領も同じです。彼はＫＧＢの出身なので、共産主義者のように思われがちですが、実際は違います。彼が大統領になって、実行したことを見るとわかります。彼はグローバリストをロシアから追放しています。

共産主義者もグローバリストですから。ソ連崩壊後、ロシア大統領になったエリツィンを支えていたのがユダヤ系の大富豪です。オルガルヒと言われる人たちです。この人たちはウクライナにもいます。２０１４年のマイダン革命や、実際はクーデターですが、この人たちを支援していたのが、ウクライナのオルガルヒです。コロモイスキーが有名な人物ですが、ドニプロペトロフスク州の知事だった人物です。彼は私兵を持っており、これがアゾフ大隊と呼ばれる軍隊です。彼は、この軍隊をバックにウクライナを牛耳っていました。

コロモイスキーはウクライナの3番目の金持ちで、ウクライナとイスラエルとキプロスの国籍を持つ三重国籍者です。それなのに、重要な州の知事をやっていました。彼が私兵を持っているということは、ウクライナの警察や軍隊を信用していないということです。自分の身は自分で守るということです。大金持ちは、私兵という過激派テロ集団を持っています。ウクライナとはそういう国です。だから、民主主義国とは程遠い国なのです。そのウクライナのゼレンスキー大統領を、民主主義を守る人だから頑張れという日本人は、ウクライナの実態を何も知らない人だということです。

松田 話は戻りますが、共産主義へのシンパシーとか容共というのは、ルーズベルト個人の信条がそうだったということだけでなく、そのバックにいた人たちが組織的に支えた動きだったように思いますが、いかがでしょうか。

馬渕 ルーズベルトの夫人であるエレノア・ルーズベルトは、紛れもなく共産主義者です。ルーズベルトも共産主義に対してシンパシーを抱いていました。共産主義国家であるソ連という国を承認したのはルーズベルトです。

さらに、ルーズベルトの取り巻きに多くの共産主義者がいたことを考えれば、容共であることは間違いありませんし、共産主義の考えを広めることに理解を示していました。

その一つがニューディールです。

日本では、ニューディールは世界恐慌から回復するための公共事業であると説明されています。それは違います。

当時、オクシデンタル石油の会長であるアマンド・ハマーという人が、この方はロシア系ユダヤ人ですが、ルーズベルトを支援すると発言しています。それはなぜかというと、アメリカの富をアメリカだけでなくて、世界のために使おうとしているからだと、それがニューディールだと言っているのです。

ニューディールとは何かというと、アメリカの富を世界にばらまく、そういうイデオロギーです。ニューディールでアメリカ経済を復活させたと言いますが、実際は、戦争で復活したのであって、ニューディールでは復活していません。

これは、グローバリストの考え方です。それは今も同じです。

日本の民族性はグローバリストにとっては脅威

松田　戦前の日本そのものが、グローバリストにとって敵対すべき存在だったということはありませんか。

馬渕　グローバリストの考えは、世界を平坦化して、独自の文化や民族性をなくすことです。その独自の文化や民族性を持っている国は日本です。その民族的特徴や文化は世界の中でも秀でています。ロシアもそうです。

日本は天皇陛下を中心にまとまっている国です。このような国が存在する限り、世界の統一はできません。だからこそ、日本を倒さなければならなかったのです。

それは今も同じだと思います。私はそう考えています。今後、どのような形でウクライナ紛争が終わるかわかりませんが、日本は安心できません。

グローバリストは日本をターゲットにして、さまざまな策動を繰り返すでしょう。その基本姿勢は変わらないと思います。

松田　そういう世界の構造をわかっていらっしゃらない方が日本のエスタブリッシュメントには非常に多いですね。

馬渕　自民党の政治家にも多いと思います。特に親中派といわれる方々はそうだと思います。私は中国と交流すること自体は悪いとは思いません。

しかし、彼らは、世界はグローバルマーケットでいいと考えている民族です。中国人には国境の概念はありません。中国人は生まれながらにしてグローバリストなのです。

そういう人たちとどう付き合うのか。中国人と合弁会社を作っても構いませんが、彼らの発想を理解せずに会社を作ると失敗します。中国にのみ込まれてしまいます。実際に、日本の企業はのみ込まれているところがほとんどです。

松田　参政党を応援してくれる人たちを見ると、それについて、気がついてきた人が多くいるように思います。

馬渕　参政党の街頭演説に集まってくる人や投票した人は、何か、日本はおかしいと気づいた人、あるいは気づこうとしている人たちだと思います。その人たちをターゲットにしている参政党には期待したいと思います。
今の自民党も、そのようなサイレントマジョリティーの意識変化に気がつかなければならないと思います。しかし、中国利権に目が眩んでいる限り無理でしょう。

松田　自民党は気がついていても、舵が切れないと思います。

馬渕　利権にがんじがらめになっていますからね。しかし、それを断ち切らないとダメなのです。

松田　それをどう断ち切れるかが問われているのですね。

戦後の政治は敗戦利得者の政治だった

馬渕　戦後の政治は、敗戦利得者の政治だったのです。55年体制とは敗戦利得者の体制です。自民党から共産党まで、すべてが敗戦利得者です。

それが、戦後78年続いてきています。それに、ついにひび割れが生じてきたと言えると思います。

70年の数字には意味があります。ソ連が崩壊したのもほぼ70年です。形式的には74年かかっていますが。

ディープステートの宣伝マンだと私が考えているジャック・アタリですが、中国共産党の一党支配は2025年に終わると本（『21世紀の歴史』作品社）で書いています。

その理由は何かというと、どの政党も70年以上は持たないということです。根拠はありません。しかし、歴史的にはソ連も倒れました。

彼の言葉はメッセージだと思います。「我々が中国共産党を作ったのだから、我々が中国共産党の一党支配をやめさせることができる」というメッセージだと、私は受け取りました。

世に中国ウォッチャーはたくさんいますが、一つ、大きく欠けている視点があります。中国は国ではないということです。中国はマーケットなのです。

現在、たまたま中国共産党が、そのマーケットの政治支配を独占し享受していますが、最近、習近平主席の民間ビジネス介入姿勢をアメリカのウォール街もイギリスのシティーも許せないと感じ始めたのだと思います。

そうすると、ジャック・アタリが言ったように、2025年前後に、中国というマーケットの政治支配を巡って暗闘が繰り広げられるだろうという気がします。

重要な視点は、中国がマーケットということです。マーケットだから、中国人には国境線の意識はありません。山の中であろうと海を渡ろうとビジネスができればいいのです。そういう発想です。

松田　それは世界を同一化してしまう、まさにグローバリズムですね。

馬渕　私はイギリスで研修した時に、イギリスの最北端の町まで行きましたが、そこにも中華料理店がありました。だから中国人は、どこへ行ってもビジネスを始めます。

ただし、彼ら自身にはグローバリストという認識があるかはわかりません。中国人は、中国５０００年の歴史があるとすれば、最初からグローバリストであるというように感じます。

民主主義はフィクションである

松田　そのような中で、私たちは国を守り、主権を守らなければならないと思いますし、民主主義も守る必要があると思います。

馬渕　民主主義という場合、気をつけなければならないのは、私たちが頭に浮かべる戦後民主主義です。これは敗戦利得者が乗っかっている民主主義です。だから、自民党の保守派から共産党まで民主主義を主張します。

ところが、民主主義にはどこにも定義がないのです。憲法にはどこにも民主主義という言葉は出てきません。

『日本人に謝りたい』という1979年に初版が出た本があります。ユダヤ人のニューディーラーとして、日本のGHQか周辺にいたモルデハイ・モーゼという人物が書いた本です。その人物が民主主義というのは、本来、両立することが不可能な、自由と平等を架橋するフィクションだと言っているのです。

松田　民主主義はフィクションに過ぎないということですか。

馬渕　フィクションですよ。自由と平等が両立するはずがありません。いかにも両立しているように見せているのが民主主義という用語なのです。だから、民主主義は何にでも応用できます。

自由を強調する時に民主主義を使い、平等を強調する時に民主主義を使う。それが敗戦利得者の戦後体制なのです。だから、民主主義という言葉を使えばセーフなのです。

松田　民主主義が特定の思惑を進めるための錦の御旗となってきたわけですね。

馬渕　だから、民主主義とは何かと問えば、答えがありません。民主主義は唯物論ではわからないのです。唯物論では自由と平等は両立しないのが当たり前です。みんなが自由を主張したら、平等になるはずがありません。

私たちが自由と平等の架橋ができたと思っても、実際は両立できていません。それを両立させるにはどうすればいいのか、目に見えないものの価値を、同時に考える必要があります。

しかし、政治というのは唯物論でやらないと、今まではできませんでした。だけども、これからは唯物論だけでは、無理だと思います。

唯物論だけの社会、唯物論だけの日本、ではもう立ち行かないと思います。日本は、そういう曲がり角に来ているのではないかと、私は思っています。

大和心をつかんだ人が日本のリーダーになる

松田　私もそれを感じます。参政党が街頭で演説していると、多くの人が「大和魂」という言葉に大きく反応してきました。

馬渕　大和心という言葉を使ったのは本居宣長です。国学です。日本人イコール大和心なのです。別に右翼の思想でも何でもありません。本居宣長が、「敷島の大和心を人問はば朝日に匂ふ山桜花」と書いています。

明治天皇も御製で、「しきしまの大和心のを、しさは ことある時ぞ あらはれにける」とおっしゃっています。私たち日本人は大和心といわれると心に響きます。

何も特別なことではありません。日本人の生き方が大和心であると言えると思います。現在の既存の政党に飽き足らない人が出てきているのは、日本人に回帰しようとする表れだと思います。これが、今後の日本の行く末を左右するし、しなければいけないと私は思っています。

これは難しいことではなくて、気づけばいいだけです。私たちはずっと日本人ですから。

ただし、戦後78年間、ＧＨＱが敷いた敗戦利得者体制のもとで、大和心や日本人というものに対して、注意を向けないように仕向けられてきたと思います。

もう、国民は黙っておられない、そういう時期に来ていると思います。これからの日本は、私たちの燃えたぎるような大和心を捉えた人がリードしていくことになると思います。そういう政治家が今求められているのではないでしょうか。

松田　参政党が担うべき使命の大きさを実感します。

第五章　世界の構造と日本の向かうべき道

（２０２２年10月収録。一部、２０２３年９月の状況に合わせて修正）

私たちを裏から動かす者たち

編集部　最終章として、もう一度、重なる部分もありますが、世界の構造がどうなっているのかと、今後日本が向かうべき道についてお伺いしたいと思います。

まず、グローバリストやグローバリズム、そしてネオコンの話は伺いましたが、ディープステートについては、あまり触れてきませんでした。もちろんディープステートは実態が見えないので、ディープステートといわれるのだと思いますが、彼らを、どのように捉えればいいのでしょうか。

馬渕睦夫氏（以下、馬渕）　ディープステートがディープステートたるゆえんは金融を握っていることです。アメリカのウォール街やイギリスのシティーがそうですが、彼らは金融の力でのし上がってきました。

金融の力とは、世界の基軸通貨であるアメリカのドルの発行権を握っているということです。日本人はアメリカ合衆国政府がドルの発行権を持っていると思いがちですが、実際は民間人の金融資本家がドルの発行権を持っています。

だから、彼らはアメリカ経済を支配できます。アメリカ経済を支配するということは世界経済を支配することにつながります（具体的にどのように支配してきたかは、第三章で、日本経済がグローバルな経済に組み込まれていく過程を、松田氏が話しているので参考にしていただきたい―編集部）。

世界の中央銀行というのは実質的にすべてが民間銀行です。世界の民間銀行のネットワークで世界の金融を支配しているのです。

金融を押さえれば、企業は押さえることができます。その中には軍事産業があります。

それから、もう一つ重要なのはメディアをコントロール下に置いているということです。

松田学氏（以下、松田） その司令塔的役割を担っているのがアメリカのシンクタンクであるＣＦＲ（外交問題評議会）なのでしょうか。

馬渕　司令塔というより、彼らの知的な部分を担っているのが、ＣＦＲです。知的な部分というのは、彼らの計画を世界に広げる、あるいは人材を供給する役割を果たしている場所です。

ここから多くのアメリカ大統領が出ています。また、大統領の取り巻きの多くがＣＦＲのメンバーです。この組織をロックフェラーが中心となって支援しています。２０１７年に亡くなったデイビッド・ロックフェラーは名誉会長でした。

そして、ＣＦＲの姉妹組織というより元祖が、イギリスの王立国際問題研究所で、同じ時期にできています。王立国際問題研究所は別名チャタムハウスと言いますが、こことＣＦＲを作ったのは、アメリカの28代大統領、ウィルソンの側近であったハウス大佐（エドワード・マンデル・ハウス）です。

この人が、人材だけでなく活動資金も提供していました。

だから、人を支配し、金を支配し、物も支配しているのです。まさしくディープステートというものは存在しているのです。そして、第四章で話した通り、ウィルソン大統領の広報委員会のメンバーが、その存在を認めています。

そして、彼らがメディアをコントロールし支配しているのです。そのコントロールの仕方は、私たちに自由な考えを持たせないようにします。そして、彼らの望む考え方をするように、見抜かれないようにコントロールしているわけです。

それによって、あたかも民主主義が実現しているかのように幻想を振りまいて支配します。だから、ほとんどの民主主義国は民主主義的専制主義国です。

そして、民主主義国だという体裁をとっているだけに質が悪いと私は思います。質が悪いから、日本の問題もここから出ているのです。私たちの日本は民主主義国で、国民のために政治が行われていると洗脳されていますから、そう思い込んでしまうのです。

実際は特定の利権と結びついた人がひそかに支配しています。表に気づかれずに支配しています。

松田　表に気づかれないようにやっているから、なかなか実態が見えない。かっちりした組織の形をとっているわけではないので、姿が見えない。だから、そのことに言及すると「陰謀論」として叩かれるわけですね。

江沢民のグローバリズム対習近平のナショナリズム

編集部　中国人は生まれながらのグローバリストという話でしたが、習近平国家主席はどうなのでしょうか。

馬渕　中国人は先に話したように、生まれた時からグローバリストで、自分のビジネスができればいいと考える人たちです。中国文化大革命まではそれが押さえつけられていましたが、改革開放政策で、また、自分のビジネスができるようになりました。しかし、ここにきて、習近平が毛沢東思想を取り戻そうと言い出しました。これについては、相当中国指導部が割れているのではないかと思います。

習近平はそういう意味ではナショナリストに近いといえるかもしれません。改革開放に反対している部分もあります。改革開放がグローバリズムですから。それを進めていたのが江沢民であり、今（2022年10月7日時点）の指導部では李克強です（※）。だから、今は、改革開放対革命派（ナショナリスト）の激しい闘いが内部で行われているのではないかと思います。習近平は革命精神に戻ろうと言っています。

しかし、これは、今の中国では通用しないと思います。中国人は、もともと革命などどうでもいいのです。改革開放であれだけ自由にやってきたのに、今さら戻りたくありません。

今は、そういう状況のせめぎあいだと思います。本来なら、習近平は2期10年やったのだから辞めていいのです。中国トップの任期は2期10年です。任期満了したのだから引退してもいいのです。でも、3期目をやるのは、習近平は中国を毛沢東の革命路線に戻したいと考えているからだと思います。

※2022年10月22日に閉会した中国共産党全国大会において、李克強首相は中央政治局常務委員を外され、常務委員は習近平派の人物で占められた。江沢民派や胡錦濤派の改革開放派はすべて排除された形となった。

松田　現代は、世界を中国とかアメリカとかの国という単位で見るとわからなくなる時代が来ていると思います。各国の中にグローバリズムとナショナリズムが混在しています。

中国でいえば、大使がおっしゃったように、江沢民派がグローバリズムで、習近平派がナショナリストで、熾烈な争いが起きています。そういう中で世界は動いています。

江沢民派はアメリカのネオコン左派と結びついている、あるいはバイデンの取り巻きらとつながっているという説もあります。アメリカではそれに対抗してトランプというナショナリストがいます。

ただし、習近平のナショナリズムは決して良いものではありません。全体主義のナショナリズムだからです。だから、私たちは習近平と組むわけにはいきませんが、そういう構図になっています。世界はグローバリズムvsナショナリズムで分断している状況です。

中国共産党もウォール街と利害が一致した時には、「グローバル全体主義」の括りの中に中国共産党が入ることになります。習近平になって少し違うのか、見えないところがあります。時にグローバル資本と中国共産党が一体になっていることがあります。

両者には、世界を同質化して、自分たちに利益を生みだす構造を作り出そうとしているというところに共通項があると思います。

ロシアが中国と組むことはない

松田　私も大使にお伺いしたいことがあります。ロシアと中国、そしてブラジルなどのＢＲＩＣＳ諸国が仲間になって、一つの大きな経済圏を作り、西側と対抗する国際秩序が作られることになるのではないかという点です。そうなって世界が大きく二極化すると、ドル通貨基軸体制も揺らいでいくのではないか。いずれ中国がＧＤＰでアメリカを追い抜くわけですから、現在地球上に存在する人類は生まれて初めて、アメリカが世界一のスーパーパワーではない世界を見ることになります。

もしかすると、こうして新たに形成される秩序のほうに世界の軸足が移っていくのではないかと懸念されますが、どうなのでしょうか。

通貨についていえば、ウクライナ戦争の中でとられている対ロ経済制裁が、世界各国からの米ドルへの信認を低下させている面が出てきています。いざとなれば、米ドル資産は凍結される。今後、米ドルを持っていても流動化ができないリスクが認識されるようになっています。現在は「米国債本位制」の通貨体制ともいえますが、その米国債の魅力が低下してしまいます。

また、いざ制裁措置が発動されるとスイフトでも決済できなくなるということで、決済に使えない状況を恐れて、必ずしもアメリカに友好的でない国々が、ドル離れを起こす可能性があります。

こうした中で中国がすでに始めているデジタル通貨の人民元が、例えばロシアの資源をバックにするようなことまで想定してみると、スーパーデジタル通貨みたいなものが誕生し、米ドル基軸通貨体制が、G7を中心にした米ドル基軸通貨体制と、BRICSとユーラシアの国々による通貨体制の二つに分かれていくのではないかということも予想されないわけではありません。

また、エネルギーもEU諸国がロシアに依存できなくなると、供給体制も分かれて、通貨基軸体制もエネルギー供給体制も全く二つに世界が分かれてしまうのではないかという見方も一部にはあるのですが、大使はどのように考えていらっしゃるのでしょうか。

馬渕　そこで重要なのは中国とロシアの関係です。中国のほうが、ジュニアパートナーになると思います。プーチン大統領は絶対に中国のジュニアパートナーにはなりません。

これはすでに申し上げていますが、中国はエネルギー、食料、核兵器、すべてロシアに劣っています。中国はエネルギー、食料を自給できませんから、結局ロシアに頼ることになります。

ただし、人口と経済力は中国のほうが上です。しかし、ロシア人は経済力で世の中を測りません。ロシア人はナポレオンの侵略もヒトラーの侵略もはねのけてきたメンタリティーを持っています。インスピレーションの源となる「母なる大地」に対する信仰で、精神性を重視する国民性です。

だから、中国人のような利権まみれの連中を軽蔑します。中国人に精神性を見いだすことができないからです。ロシア人にとって中国人は最も軽蔑する民族です。ロシア人が、そのような中国人の軍門に下ることはありません。

だから、いくら中国に経済力があってもロシア人を従わせることはできません。シベリアに中国人が入植しているようですが、そんなことで、ロシア人が屈服することはありません。

結局のところ、ロシアと中国が一体になって、基軸通貨体制とエネルギーの供給体制を作るのは、かなり難しいと思います。

それより、EU諸国が、特にドイツがロシアと手と組むのではないでしょうか。同盟関係まではいかないと思いますが、実際、そのような動きがあって、ドイツとロシアを結ぶノルドストリームのパイプラインがアメリカによって破壊されたと、私は考えています。

ネオコンによる、〝ドイツとロシアが手を組むのは許さないよ〟という意思表示だと思います。

松田　習近平はナショナリストとしてプーチン大統領を尊敬してきたと聞いています。

馬渕　それはあると思いますが、それにプーチン大統領が甘えて、習近平にウクライナ侵攻を支持してくれと嘆願したとメディアは報じていますが、そんなことは一切あり得ません。ロシアが中国に武器を頼る必要は全くないのです。

松田　ロシアが北朝鮮から武器を調達しているという情報もあります。北朝鮮にとっても、それで得た資金で古い兵器を最新兵器に換えていくというメリットがあるということのようです。

馬渕　そもそも北朝鮮の武器はロシア製です。それに、北朝鮮の武器を供給されたとしても古くて戦えません。これらはすべてロシアは苦戦しているとの印象操作を行っているアメリカのフェイクニュースです。

権威主義と民主主義の対立は虚構

馬渕　先にも話した通り、ディープステートやグローバリストは、さまざまな虚構を作り出し、あたかもそれが真実であるかのように私たちを洗脳します。

世界が権威主義対民主主義に分断されていると、グローバリストたちが言いますが、これも虚構です。権威主義側にはロシアと中国が入っていて、民主主義側には欧米が入ると言います。だから、「ロシアはけしからん」と。そして「中国もけしからん」と。そうなると、本当の構造が隠されてしまいます。

メディアもそれに乗っかって、「ロシアはけしからん」「中国はけしからん」の大合唱です。ロシアを意図的に悪者にしていますが、中国もいかにも台湾に対し戦争を起こしそうな報道をしています。これも私には眉唾物の感じがします。実際は、権威主義をやっつける口実に使っているだけなのです。

松田さんも指摘した通り、そして、私も何度も話した通り、世界はグローバリストとナショナリストが衝突しているのです。

そして、ナショナリズムは全体主義ではありません。プーチン大統領の言っている世界は多極化した世界です。各国が独自の文化と民族性を持ち、それが一つひとつの極になり、世界が多極化する、それを各国が尊重し交流する世界です。

ナショナリストでも、グローバルな交流はします。繰り返しますが、ナショナリズムは個々の国の主権と民族文化を尊重した上で、各国の交流を目指します。多極世界を目指すのです。

グローバリストが世界を平坦化し、世界統一政府を目指すのとは真逆です。

ナショナリズムは愛国主義です。愛国主義は国だけでなく、国民も愛します。ナショナリズムは本来、国民を愛する、国民を大切にする考え方です。それでなければ、ナショナリズムとはいえません。

「多様性と包摂性」という言葉の犯罪性

編集部 お二人とも岸田政権には批判的だと思いますが、特に問題だと思われる点はどこでしょうか(ここの内容は2022年10月時点であることに留意)。

馬渕 2022年10月3日、岸田首相は、国会で所信表明演説をしました。私がその中で、特に問題だと思うのは、「包摂社会の実現」です。霞ケ関の官僚が書いた文章だと思いますが、「包摂」という言葉は本来の日本語ではありません。

これは東京オリンピックの標語です。英語の「ダイバーシティ&インクルージョン」です。日本では「多様性と調和」と訳されていますが、これはごまかしです。インクルージョンとは何か、はっきり言えば、LGBTの人を軍隊に入れるということなのです。アメリカでオバマ大統領がＬＧＢＴの人を軍隊に入れるために言い出した言葉です。２０１１年の「連邦政府職員の多様性と包摂性（diversity and inclusion）」を促進する大統領令で、ＬＧＢＴの米軍への入隊を承認し、さらに、ＬＧＢＴをヒーローとまでもてはやしました。それをそのままオリンピックの標語にしたのです。

そのような意味の言葉を、岸田首相は国会で堂々と演説しています。その真意を疑います。

「包摂社会を実現」を具体的に言えば、自民党が進めているＬＧＢＴの理解増進法案（２０２３年６月16日成立。23日公布・施行）のことです。オリンピックで言えば、男性でも性転換した人は女性として、あるいは肉体的には男性でも自分は女性だと思っている人は女性として、女性のスポーツ競技に出るということです。「包摂」とは、そういうことまで含む言葉なのです。

しかし、報道関係者や恐らく記者の方々は全くわかっていなかったでしょう。岸田総理自身が自覚していたかどうかはわかりません。この言葉を使った官僚も自覚していたかどうかもわかりませんが、これは日本の社会の根幹を壊す言葉なのです。

プーチン大統領は、現在の左翼やリベラリストが進めている多様性社会やLGBTの運動は、レーニン主導のボルシェビキ革命政権が行った伝統的価値観の破壊実験をコピーしたものだと発言しました。

レーニンの革命政権は何世紀にわたり受け継がれてきた伝統的価値観を破壊しようと試みました。その結果、人間同士が互いに不信感に陥り、愛する人や家族を密告するまでに堕落してしまったのです。

さらにレーニンはフリーセックスを奨励する一方で、女性や子どもの国有化を宣言しました。これは、女性は労働者のもので（だから労働者の男性から求められたら断れない）、生まれてきた子どもは国家の所有となるという革命的人間関係観です。要するに、家族の否定です。

「多様性と包摂性」という言葉には、このような意味が含まれています。念のためですが、岸田首相の国会演説（2022年10月3日）を以下に挙げておきます。

「また、新しい資本主義を支える基盤となるのは、老若男女、障害のある方もない方も、すべての人が生きがいを感じられる多様性のある社会です。全世代型社会保障の構築を進め、少子化対策、子育て・こども世代への支援を強化するとともに、女性活躍、孤独・孤立対策など、包摂社会の実現に取り組みます」

日本の伝統的な家族観や家庭を破壊する言葉です。

松田　ポリティカルコレクトネス（性・民族・宗教などによる差別や偏見、またそれに基づく社会制度や言語表現は是正すべきとする考え方）がアメリカを分断しているのと同じことが、今の日本でも知らず知らずのうちに、そういう言葉を通じながら入ってきているという感じがします。

GAFAに寺銭が落ちるDXの推進

馬渕　そうです。これもメディアが、あまり意味がわからないにもかかわらず、一緒になって使っています。

そして、10月の岸田総理の演説でさらに驚いたことがあります。それは、横文字が非常に多いのです。これは日本の総理がする演説じゃありません。

特にひどいのは、「成長のための投資と改革」の部分です。ここは横文字ばかりです。スタートアップ、GX、DX、グリーントランスフォーメーション、デジタルトランスフォーメーション、ずっと横文字が続きます。カーボンプライシングとか、スタートアップ・エコシステムとか、トランジッションファイナンスとか、アジアゼロミッション共同体とか、これは技術者が使う言葉です。一国の首相がこのような演説をしていたら、国民には伝わりません。

松田 本当にそう思います。いかにもグローバル勢力に席巻されてしまっている政権という感じがします。

DXにしてもGXにしても、これは一体何なのかと思います。

現在進められているDXは、グローバル勢力による世界覇権の手段の一つです。これは私たちのデジタル空間がすべて、GAFA（Google、Apple、Facebook、Amazon）といわれるグローバルなプラットフォーマーが提供するプラットフォームに依存している状態であることによるものです。

世界の戦略分野は、かつては一次産品や金融などでしたが、今や、最大の付加価値の源泉とされている電子データになっています。これを支配するプラットフォーマーにお金が落ちることになります。

現在、ネットの世界はGAFAがサーバーを提供し、そのサーバーを使わなければ何もできない状況です。だから、GAFAが君臨した中央集権になっています。

SNSは、もともとは双方向だったはずですが、それらの巨大なサーバーを持ったところが中心になってしまい、世界中から寺銭を取っています。

現在、日本には、こうしたプラットフォームがないので、GAFAにすべて独占されています。だからこそ、次の局面となる「WEB3・0」（ウェブスリー）では、日本が独自のプラットフォームを作り、GAFAなどから独立したデジタル基盤を構築しなければならないと思います。

ウェブスリーとはブロックチェーンが実現する自律分散型のデジタル基盤です。現在は「WEB2・0」（ウェブツー）です。「WEB1・0」の時代がホームページの時代で、発信するだけの一方向の通信でした。現在はウェブツーで、SNSが中心の双方向の時代です。

本来は、これが分散型の環境を実現するはずでしたが、現実は、完全にGAFAなどの勢力が支配する中央集権的なデジタル環境になってしまいました。次のウェブスリーでは、特定のサーバーに情報が集中することがない、まさに自律分散型で構築される世界になります。

私たち参政党は、これを国産の国内共通基盤としてブロックチェーン技術を使って構築すべきだと考えています。ブロックチェーンはまだ黎明期の技術です。これをさまざまな分野や地域などのコミュニティで社会実装していくことで、社会的課題を解決していく。そこに、それぞれの課題解決のあり方に応じて、多種多様なイノベーションを起こしていくことができます。ブロックチェーンは日本人の国民性にもぴったりの技術です。

設計そのものが分散型ですから、どこかの国や権力機構が中央集権的に支配することはありません。各国がグローバルプラットフォーマーには支配されない、それぞれ独自のブロックチェーン基盤を作っていく。そしてそれらが連携していく。

アメリカの共和党筋もそのようなことを考えているようです。将来、各国のナショナリストどうしで国際的な連携をすすめていこうと考えています。

馬渕　そうですか。私は、テクニカルな点は弱いのですが、それは、トランプ前大統領が始めたものですか。

松田　トランプ支持派の方々が中心になっていると聞いています。

それから、アメリカ共和党が分散型のデジタル基盤を推進しようとしているのは、一つには、大統領選挙で不正が行われた可能性があるということも背景にあるそうです。私も以前、サーバーセキュリティの研究のために東大の大学院で客員教授をやっていたことがあります。その時、アメリカに出張して、世界のハッカーたちがハッキングの腕を競い合う大会を見学しましたが、そこではトランプ前大統領が当選した時の選挙で、ある州で実際に使われた電子投票システムの電子データを改ざんするコンテストが行われ、いとも簡単に改ざんされていました。

いくらなんでも、このような投票システムを今後は使わないだろうと思っていましたが、バイデン氏が当選した時の大統領選挙でも使われていました。

共和党としては、今後、選挙で不正が行われないよう、電子データの改ざんができない仕組みであるブロックチェーンを導入しようとしているわけです。ちなみに、すでに参政党では公認候補を党内で選ぶ際などに、ブロックチェーンによる党員投票システムを活用しています。これはいまだ他党には例がないものだと思います。

結局、国民負担になるGXの推進

松田　それからGXです。これは完全にヨーロッパの策略といっていいでしょう。GXはグリーントランスフォーメーションの略ですが、多くの人々が正義だと信じているSDGsとともに、どうもいかがわしい代物ではないかと思います。

GXは地球温暖化を防ぐためにCO_2を排出しない社会を作りましょうということがテーマですが、まず、再生可能エネルギーでCO_2が減るというのは幻想です。少なくとも現状の技術ではそうです。

再生可能エネルギーは太陽光にしても風力にしても、特に日本の場合は不安定なので、それを安定させるためには、どうしても化石燃料が必要になります。常に安定している電圧は血圧と同じで、高くなったり低くなったりしてはいけません。常に安定していることが不可欠です。お日様が照らないとか、風が吹かないといった不安定な状況に頼っているわけにはいきません。そこで、再生可能エネルギーを導入すればするほど、化石燃料による電力供給で安定させる必要が増大していきます。

ヨーロッパでは、急速に再生可能エネルギーへのシフトを進めたために、石炭火力を次々とやめていった結果、天然ガスに頼ることになりました。そして、ロシアの天然ガスにますます依存する構造ができました。

その弱みを突いたのがロシアのウクライナへの侵攻でした。現在では、天然ガスの供給に支障を来たし、ヨーロッパ諸国は非常に困っています。

さらに、再生可能エネルギーを普及させても、地球全体でどれぐらいCO_2の排出を本当に減らせることになるのかといえば、例えば日本が2050年に目標通りカーボンニュートラルを実現したとしても、地球の温度を低くする貢献度は極めてわずかで、アメリカや中国の排出の動向いかんでは簡単にオフセットされてしまいます。

小さな効果の割には、これを実現するための経済的な負担は莫大なものになります。各企業は相当な投資をしなければなりません。

これが省エネであれば、企業にメリットがあります。電力やガスなどの削減ですから、経費が節減できます。ところが再生可能エネルギーへのシフトの場合は、企業にとって何の経済的メリットもありません。

経済学でいうと、外部不経済をお前の負担で除去しろということですから、純粋に負担が増えるだけです。だから結局、これを誰が負担するのかということになり、国民負担の問題になります。

つまり、いずれ、炭素税などの導入で国民から徴収することになるわけです。その肝心の国民負担の話を表に出さずに、グリーントランスフォーメーションという横文字で、なにかすごい夢のあるように見せかけているのというのが現状です。

もうすぐ、カーボンプライシングという言葉も出てくると思います。炭素に価格をつけて、CO_2を排出した者はその分のお金を払うことになります。

日本国民に負担をさせて誰が喜ぶかといったら、CO_2悪者物語を作った再生可能エネルギーなどの利権を持つヨーロッパのグローバリストだとされています。

CO_2を削減したら食料難が来るという「不都合な真実」

馬渕　そうですよ。さかのぼれば、民主党のゴア元副大統領が、『不都合な真実』

という本を出して、情緒的な写真と仮説をあたかも科学的根拠であるように見せて、多くの人々を洗脳したのです。CO_2が温暖化の原因かどうかは科学者によっても意見が分かれています。温暖化自体も進んでいないという学者もいるほどです。

そういう議論の前に、再生可能エネルギーという言葉だけが独り歩きしている。まさにこれこそ洗脳です。

私が参政党に期待したいのは、ここです。国民の洗脳を解くことです。2022年の参議院選挙で、国民が気づいていないことに対して、一石を投じたという大きな意義を達成したと思います。しかし、一石では全く足りません。それを連続して投じていただかないと、参政党の存在意義がなくなると思います。

CO_2も常識で考えたらわかります。CO_2の空中濃度はかなり低い数字です。それが本当に増えているのかどうかもわかりませんが、その程度の量で地球が温暖化するはずはないと考えるのが普通です。むしろ増えれば寒冷化します。太陽光を遮断することになるからです。

それからこれは小学生でも知っていることですが、CO_2が少なくなれば植物の光合成ができなくなります。ということは、生物が育たなくなるわけです。それは、食料難を引き起こします。
だから、食料難を演出するためにCO_2の排出を攻撃しているともいえるわけです。こういうことを科学者は一切議論していません。外野にいる人が警鐘を鳴らしているだけです。昔に比べて、空気中のCO_2濃度は減っているようです。ということは生物の生育がだいぶ影響を受けているわけです。

なおかつ、太陽光パネルを設置するために山の木を伐採しています。やっていることが矛盾しています。木が吸収するCO_2がそれだけ減るのですから。

なぜ小学生でもわかるこんな単純なことが、なぜ大人がわからないのでしょうか。そうなると、やはり洗脳が行われているとしか考えられません。当然、洗脳には利権がつきものです。

だから今、再生可能エネルギーを推進している政治家を、自民党に限らず、みんな調べあげるべきだと思います。どういう利権が太陽光パネルと風力発電と結び付いているのかを。

その利権に巣くっている悪質な連中は、はっきり言って国賊です。だから、この際遠慮せずにはっきりさせるべきです。それをしなければ、どんどんグリーントランスフォメーションは進んでしまいます。

今回、東京都が、新しい住宅に太陽光パネルを義務付ける制度を設けました（2025年4月より施行）。私は、こんな発想が出てくること自体が異常なことだと思います。参政党は、都議会で政党の議席がないかもしれませんが、そうでなくても志を同じくする人に働きかけていただきたい。地道なことから一つひとつ洗い直していくことが必要だと思います。


松田　おっしゃる通りです。国会では、質問主意書で、メガソーラーの問題も追及しました。それが、グローバルな利権のもとで、どれだけ国民の利益を損っているかをさらに追及していかなければならないと思います。

GXに関していえば、自然の生態系をキチッと維持していくことが本当のグリーンであると考えています。これはもともと日本にあった循環型の社会です。これを日本はヨーロッパよりも先行してやっていました。日本こそが「日本版SDGs」を世界に向けて掲げていくべき立場の国だと思います。

ヨーロッパのグローバリストは部分最適だけを狙って、生態系全体の循環のことまでは考えていないようです。この点は、しっかり追及していきたいと思っています。

豊かな自然と農村コミュニティが日本の原点

松田　環境といえば、食の問題も日本の原点が大事だと考えています。先にも話していますが、私たち参政党は、安ければいいのではなくて、多少高くても良いものを食べようと言っています。

日本でできた良いものを食べようと、そのために政府は財政的に援助すべきです。アメリカは輸出補助金だけでなくて、消費者に対しても食料券を配布し、農業予算のかなりの部分をそれに充てているそうです。

消費者に良いものを食べてもらうためには、市場経済による自由競争に任せるのではなく、政府が前面に出てこれをやらなければなりません。

馬渕　今だったら、自然食料券ぐらい出すべきです。かなり自然食料が増えてきています。やはり高いのですが、それに対して補助金を出すのは一つのやり方です。

松田　現在、農業をやりたい方々が農村に来てコミュニティを作っているケースが増えています。若い人もいますし、リタイアした人もいます。

しかし、コミュニティで農業をやっていても、国際的な自由競争には勝てません。そこで、ここは徹底的に国が安全保障の観点も踏まえて財政的に支えるべきだと思います。

そのようにして、農業はパブリックなものであると、公的なものであるとして、守っていくべきです。農村は日本の原点であり、皆でいいものを作って分かち合う。この農村コミュニティにこそ、日本の精神的な原点があったのではないかと考えています。

もともと日本の土壌は世界一ですし、四季の変化も世界一素晴らしいし、空気もきれい。そして水も世界一豊かにある。こういう素晴らしい自然に育まれてきたのが大和民族です。

これを生かしていく、この原点に戻る、これが国作りの根本であり、本物の保守思想だと思います。

工業製品には日本人の魂が宿る

馬渕　国作りの根本であるというのはその通りです。『古事記』にそのように書いてあります。天照大神が稲穂を邇邇芸命に授けて、これで民を栄えさせなさいと。だから、天皇陛下は田植えをして、稲刈りをされるわけです。日本の農業が米作中心だからやっているわけではなくて、天照大神の神勅に従ってやっているのです。

日本の土地でとれたものを日本で食べるということの根本は天照大神の神勅です。だから、日本は農業が基本なのです。農本主義です。土地が豊かで気候がいいので、お米で国民を豊かにできたのです。

この『古事記』の精神に見られるように、日本の国の成り立ちの基本は農業です。これがすべての産業の基本です。お米には農民の精神が宿ります。それをいただくというのが日本人の発想。だから地産地消だったのです。

そして、工業製品も単なる物ではなくて、日本人の精神が宿っている同胞です。工業製品は世界的に広がりますが、メイドインジャパンの商品は、メイドインチャイナの商品と同じ日本メーカーの商品であっても違います。

どう違うかというと、日本人が作った製品は日本人の精神が吹き込まれているのです。だから同じ日本メーカーの製品であってもメイドインジャパンの製品が欲しいと、外国勤務の時に会った方々がおっしゃっていました。

日本人が作った製品は、単なる物ではなく、日本人の同胞として作っているのです。現在は、無意識的に作っているのだと思いますが、昔は意識的にそうしていました。

メイドインジャパン、バイジャパニーズこそ、世界が認めている製品です。そこには日本人の魂が込められています。ほかの国が作ったものとは違うのです。

松田　日本精神がどんなに優れたものかということを、もっと、国民が知らないといけないと思います。

馬渕　昔の人は針供養をしていました。品川神社には包丁塚というものがあります。包丁も供養しているのです。それは、生き物を殺したからというのもありますが、包丁が自分の生活を支えてくれたから、それを供養する。こういう精神なのです。これが外国人にわかりません。わかろうともしません。彼らは、物は物、使えればいいのです。

だけど日本人は違います。物も同胞であると、私たちと一緒に生活しているのだと、思っています。日本人が物を捨てられないというのは、そういうことも影響していると思います。

国民経済を取り戻す

松田　日本政府は、台湾の半導体メーカーであるTSMCに補助金を約5000億円（第二工場のみの額）も出して日本国内に誘致しました。

しかし、本来は、半導体の量産部門のところに資金を投入するよりも、コア技術のところに資金を投入すべきなのです。

半導体は、CPU（中央演算処理装置）がなければ意味を成しません。その設計の部分こそがコア技術です。しかし、日本が持っているのは周辺技術で、半導体製造装置と素材は強いかもしれないけれど、コア技術は弱いのです。

技術のコアになるところにはものすごくお金がかかります。だからこそ、政府が予算を支出しないとできません。兆円単位のお金を惜しみなく出すぐらいの基礎研究が必要になる分野です。

自民党の幹部の方とこの点で話をしたことがあります。彼は、外資を誘致して、そこに産業クラスターを作るのだと言います。そして、そこからお金を生み出すと言います。しかし、同じお金を使うのであれば、コア技術をとるべきです。そこに予算を振り向けなければなりません。これは国にしかできないことです。

ところが、これも新自由主義の弊害といえますが、財政も金融も「規律」を重視するあまり、公的な資金ですら、何年後に収益性が見えないとお金が出ないということになっています。日本には優れた研究者がたくさんいますが、このことが壁になって、彼らの志が実現していないという実態があります。いったい、なんのために政府があるのかという思いです。

コア技術の部分を日本がとれば、外国から締め付けを受けても大丈夫になりますし、グローバル勢力とのディールの武器にもなります。その発想が不足しています。

頭がグローバリズムに侵されています。

国民経済という概念をもう一度作り直さないといけないと思います。90年代にグローバリゼーションが本格化する前までは、国民経済という概念があったのです。多少経済合理性が欠けても、大事なものは国内できちんと供給できる体制を作るべきです。

馬渕　その通りです。国内で最低限のものを賄え得る体制を作らないといけないと思います。自民党政府も、それを今回のコロナパンデミックやウクライナ戦争で学んだはずなのに、全く進んでいません。

食に限って言っても、お米の値段は上がっていません。しかし、パンや小麦の値段はかなり値上がりしています。お米は日本で作っているからです。

そういうことが、ここ数年続いて、肌で実感しているはずです。しかし、全くそれが政策に反映されていない。そうであるならば、既存の政党はもう全く期待できないということです。私は、非常に危機感を持っています。

グレートリセットしなければいけないのは日本の既存政党です。敗戦利得政党に、もう任せることはできません。

同時に、保守の再編も急がなければならないと思います。親米保守は、保守でも何でもありません。単なる親ネオコンです。

現在は、近代西欧思想に毒された保守系の人が多いのです。その人たちは、近代の西欧思想から見て、日本がおかしいと言っています。そういう人は保守ではありません。私から言えば、ビジネス保守、エセ保守だと思います。

日本の本当の保守は「大和心」を持ったナショナリストです。今こそ、本当の保守を結集させる時だと思います。日本が日本として生き残るにはそこしかないと、そこまで追い詰められている気がします。

日本人の気概を持った政治家が待たれる

松田　2022年2月に「新疆ウイグル等における深刻な人権状況に対する決議案」が決議されましたが、実際は非難決議だったものが、「非難」の文言はなくなってしまいました。

自民党の保守系の人たちは、彼らの考えていることを幹事長室に持っていくと、握り潰されてしまうと言います。中国に対して強硬的なことを言うと、必ず骨抜きになると言います。

特に今の岸田政権は宏池会で、親中派の派閥だとされています。与党の公明党も同じです。保守の自民党議員が言うには、彼らの考えに対して障壁になるのが、「二幹二国」だそうです。自民党幹事長、公明党幹事長、自民党国対委員長、公明党国対委員長です。そこで最終的に法案や決議を決めるそうです。

保守系の議員が提案しても、最後は二幹二国で潰されてしまうと聞きました。この構造があるとすれば、自民党で本当に国益を考えている人たちは、いくら頑張ってもいい政策を実現できないということになります。

だから、自民党の中の保守系の人たちに、そうとうフラストレーションがたまっているようです。

その人たちといかに上手く連携をとっていくか、それができる勢力を外側に作っていかないといけないと思っています。

馬渕　そういう保守の人が自民党の中にどれだけいるかわかりませんが、保守の再編となった時に、本当に自民を割って出てこられるのか疑問です。

その人たちは、やはり長いものには巻かれろで、選挙のためにも、自民党に残ってしまうかもしれません。

しかし、そういう人はお役御免で、結構だと思います。

裸一貫で、自民党から出ても、保守のために戦う。それぐらいのことは政治家なら、嘘でも言ってほしいと思っています。そういう政党ができれば、潜在保守という、ものを言わぬマジョリティーが目覚めると思います。

今の敗戦利得組の政党の中で、期待することはもうありません。期待できるのはピープルです。利権に群がる人たちより、一般ピープルのほうが多いはずです。そういう人たちの思いを実現できる政党でなければ、もう日本を立ち直らせることはできないと思います。

国民が本当に選んだ政府や政治家であれば、国民は彼らを守ると思います。

戦前まで持っていた日本人の気概というものが、そういうものでした。

それが、今眠らされています。それを呼び覚ますことが大切だと思いますし、参政党には、その起爆剤になってほしいと思います。

調和のとれた美しい日本

松田 私たち一人ひとりの命には限りがあります。命の安全や財産の保全というのは、国の大事な役目です。政治家はそれを守っていかなければなりません。同時に、それを超えた国家の縦の軸があります。日本が過去から受け継いできたものを未来に継承していく。それも人間の生き方として、崇高な生き方だと思います。自分の命を超えたもののために生きてこそ、命が輝くというものです。そのことが人々に生きがいを与えることになります。

これは精神面でのコンサルタントをしている方から聞いたことですが、「あなたは日本人でしょ」と言うと、たいていの方は治癒し、元気になるそうです。日本人は幸せなことに、そうした軸を持っているわけですから、それを取り戻してほしいと思います。

馬渕　そうです。それが高天原以来、３０００年続いている精神であって、それを私流にいえば、大和心です。前章でも触れたものです。

日本に、唐こころ（江戸時代以前の海外は中国であった）、グローバリズムがあってもいいのです。軸として、大和心があれば、グローバリズムと共存できます。

軸がないと共存はできません。のみ込まれているだけです。軸は気がつけば取り戻せます。私たちのこころの中には、誰にも大和心があります。日本人のＤＮＡですから。そんなに簡単になくなりはしません。軸を取り戻せば、日本人の行動が違ってくると思います。

大和心は、「本居宣長」が、江戸時代の後期の漢学が全盛の時代に定義したものです。その当時は、みんな中国の文献で勉強をして、それが知識人の証しでした。現在の、欧米の学問をありがたがって学ぶことと同じ状況だったのです。これに対して本居宣長は国学を始めました。そして、大和心を見いだしたのです。

松田さんには政治の世界において、グローバリズムに立ち向かうための軸としての大和心を見いだしてほしいと思います。

松田　ありがとうございます。私たち参政党は、グローバリズム全体主義に対抗して自由社会を守る国民国家という軸を打ち出しています。

これは、ただ海外勢に対抗していくのだというものではありません。私は、そもそも「グローバリズム」と「グローバリゼーション」は違うものだと説明しています。「存在と当為」、ドイツ語では「ＳＥＩＮ（ザイン）とＳＯＬＬＥＮ（ゾルレン）」、この両者が混同された議論が往々にして見られますが、「事実はこうだ」ということと、「かくあるべし」という議論とは、明確に区別しなければなりません。事実は事実として冷静に受け止めて分析し、そこからどうすべきかを考えることが大事です。

グローバリゼーションは事実として確実に進んでいきます。国際交流も放っておいても進んでいくわけですから、それを否定するわけにはいきません。

参政党はその中で、日本人が世界と調和していくという理念を掲げています。これはまさに八紘一宇です。共存しながら調和していこうということです。いわゆる大東亜戦争の時にも日本が掲げていた理念ですが、もちろん、戦争をして実現するわけではありません。

グローバリゼーションが進む中、私たちは、国民国家の基本になる軸に大和心、日本精神を据えて、多種多様な世界の各国と共存していく。そこに調和的な秩序が自然に形成されていくことを目指す。

日本は遙か昔に律令制度を取り入れた時から、グローバリゼーションに直面していて、日本独自のものとグローバルなものを調和させながら進んできました。

明治維新もそうでしたし、それが、日本の歴史だったと思います。その日本人の何千年にもわたる歩みを手本として、新たな国政政党である参政党を、国民からの幅広い共鳴によって支えられた国民政党へと育てていきたいと思います。

馬渕　それが本当の意味の国民政党です。今まで日本が国難に対処してきたやり方は、完全にグローバルなものを拒否したのではなくて、それを上手く取り入れて日本化し乗り越えてきたのです。

松田　先ほど、私は、ブロックチェーンの話をしました。これも、デジタルの世界で、日本独自のものを自分たちで作っていこうという、そういうことを象徴する例として挙げさせていただきました。

馬渕　おっしゃる通りです。それが、つまり調和ということなのです。日本は調和の国なのです。外国から来たものでも日本化して、つまり日本の幅広い伝統の中で調和させていきました。

調和の方法や範囲は幅が広いのです。縄文時代からそれは行われていました。だから、LGBTもその一つです。歌舞伎の世界では、それは芸術性まで高められています。それが、日本です。

日本人にとって調和しているというのは、そのバランスが取れているということです。だから、美しいのです。

世界から見ても日本はなぜ美しいかというと、調和しているからなのです。

そして、繰り返しますが、これは大和心があるからできるのです。大和心なくしてただ取り入れたら、腑抜けなコスモポリタンの国になるだけです。国の体を成さない。だからあくまでも大和心という軸が必要です。その上で取り入れる。そうすると外国的なものと日本的なものが調和するのです。

この調和はトランプ前大統領も言っています。トランプ前大統領の演説を読むとアメリカの目的は世界の調和だと言っています。

私は、日本からその知恵を得たのではないかと言いたいぐらいです。ひょっとして安倍元総理から得たのかもしれません。本来、日本の総理が言ってもおかしくないことをトランプ前大統領はおっしゃったのです。

そして、調和に反しているのは、社会主義国の全体主義とおっしゃっています。これらの国は調和していません。独裁国家ですから。

独裁と調和は全く違います。自由社会というのは、一人ひとりが個性を発揮することによって調和が保たれている社会です。これは日本では、『古事記』の昔からそうなのです。

日本は役割分担社会なのです。神々も八百万の神々です。八百万の神々はみんな違った役割を果たしています。昔から日本は調和社会。だからそれを軸に据えるというのは正しいことです。

天皇陛下のもとに纏（まと）まることができる幸せの国

松田　それが本来の日本ですね。それを、もう一度取り戻す必要があるということですね。

馬渕　今は、自由社会とは言えません。現在の日本は調和が取れていません。そのためには復古をやればいいのです。復古という言葉が政治的にいいかどうかは別として、それが必要です。
なぜかといえば、日本が危機の時には、過去の人々は、みんな復古したのです。日本の本来の形である大和心に象徴される日本精神に復古することによって、国難を解決してきたのです。

松田　第三章で大蔵バッシングの話をさせてもらいましたが、一番ショックだったのは大蔵省という名前が財務省になったことです。

これは自分の勤める役所の名前が変わったからではありません。1400年も続いてきた世界でも他に例を見ない貴重な名前が、これはある意味、歴史的遺産ともいえる名前だと思いますが、それが変わってしまうことに対して国民世論から、さしたる反発が出なかったことが何よりもショックでした。日本人は国家意識というものを失っているのか、と。

雄略天皇の時に設けられた三つの蔵の中の一つが大蔵（おおくら）で、しかも唯一の大和言葉です。

文部省も外務省も漢語ですが、唯一の大和言葉の官庁名でした。それでずっと連綿と続いてきたわけです。

大使も指摘されていたように、その当時の大蔵省の人たちに驕りがあったかもしれませんし、腐敗していたかもしれませんが、そういう人たちにお灸をすえるために、こんな大事な国家的資産を捨てて、アメリカの財務省の支店のような名前にコロッと変えてしまいました。

もちろん、歴史に造詣のある一部の有識者は反対論を唱えていましたが、これといった反対論が沸き上がることなく、いつの間にか、「財務省」という名称が当たり前になってしまっています。

アメリカには、Department of State（国務省）があります。アメリカが13州で独立した当時、まだ外交をしていないころに州の調整をする役所だった時の名前です。それが外交をやるようになっても「外務省」という名前にはせず、建国の由来を大切にして、今でもこの名前を使っていると聞きます。

ドイツにも、Auswärtiges Amt（外務省）があります。普通はBundesministerium für Finanzen（連邦財務省）というように、省名にはMinisteriumを使用するのですが、外務省については、Amtという、一般に官公庁のことを意味する名前を使っています。それは、ワイマール共和国の時にドイツの民主主義の理想の形があって、その時にAuswärtiges Amtという名称が使われたという由来があるかららしいのです。

アメリカもドイツも理屈を超えて建国の由来を表す官庁名を維持しています。それに比べて遥かに長い歴史のある国の日本が、それを反映する伝統ある名前をいとも簡単に捨ててしまったわけです。

国家意識というものが、国民の間でもう崩れている。私はそこに一種の危機感すら覚えました。

馬渕　おっしゃる通りですね。日本の官僚や政治家は、名前を変えれば改革がなると安易に考えています。

大蔵省の名前を財務省に変更したのは野中広務元幹事長の影響力が大きかったと聞いています。自民党の実力者ですが、大蔵省の歴史をあまりご存じなかったのでしょう。

だから、大蔵省の名前を安易に考えたと思います。私はいくら力があっても政治家は歴史を知るべきだと考えています。そうしないと誤ってしまう。国の軸をないがしろにしてしまいます。

松田　日本は、天皇のもとに一つの家族のように纏まってきた本当に幸せな国だということがわかればわかるほど、日本人に生まれて本当に幸せだったと思えるようになります。歴史は国民一人ひとりがもっときちっと学ぶべきだと思います。

馬渕　日本に独裁者が現れない一つの理由は、権威と権力が分離しているからなのです。日本の権威は天皇陛下が担っています。皇統に属さないものは誰も天皇の地位には就けません。

だから、どんなに野望のある実力者でも権力しか取ることができません。天皇陛下に代わる権威にはなれません。

このような二権分立の日本は、同一人物が権威と権力を独占する独裁国家にはなれません。これは民族の知恵としか言いようがないです。

今、女系天皇や皇室改革を叫ぶ人たちは、このことを知っているのでしょうか。伝統的な皇室を潰すということは独裁者が生まれるということです。だからこそ、この意味でも日本人は天皇と皇室を守らなければなりません。

松田　参政党は「天皇のもとに纏まる国」を最初から掲げていますが、それを右翼だという人は多いのです。明らかに間違っていますね。天皇陛下がいるから、日本は独裁国家にならなくて済んでいるのですね。

馬渕　おっしゃる通りです。日本は君民一体の国だったのです。それはヨーロッパの王室のような契約関係ではありません。日本の天皇や皇室と国民の関係は信頼関係です。

グローバリストは、これを潰そうとしているように感じます。彼らは何でも契約関係にします。契約関係になると容易に対立、紛争を起こすことができるからです。これは彼らの破壊文化の一端です。日本も同じようにしたいのでしょうが、日本には天皇と国民の間に信頼関係という絆があります。

松田　そうやって考えてみますと、日本は信頼関係で結ばれた自由な国という、世界の中でも、こんなに素晴らしい国はありません。

馬渕　だからこそ、日本の軸の中心である男系男子の皇統を守り続けなければならないのです。

おわりに　新書版―今後のために―（２０２３年９月７日対談）

編集部　最後に、今後の日本人の在り方についてもう少しお話をいただければと思います。

馬渕　『日本にやって来たユダヤ人の古代史』という本を東北大学名誉教授の田中英道先生が書かれています。縄文時代にユダヤ人が日本に移民してきたことです。そして、そのユダヤ人は日本に同化しました。これによって、今の日本人の血の9分の1がユダヤ人の血であると田中先生は書いています。日本人の9分の1ということは、計算すれば、１４００万人分です。考えようによっては我々日本人のうち１４００万人はユダヤ人といえるのです。

これは、約７００万人のユダヤ人がいるイスラエルや、約５５０万人のユダヤ人がいるアメリカよりも多く、世界一のユダヤ人国家なのです。我々の日本はそういう特徴を持った国なのです。あの一神教のユダヤ人でさえ同化した、そういう同化力を持った日本列島であると、これをいい意味で、日本のために使っていくと、こういうことが必要になっていくと思います。

松田　ユダヤ人や旧約聖書の世界とのつながりがあるということは、我々の文化が特殊なものではなくて、普遍的な立ち位置を持っていることを示すものだという見方があります。

馬渕　ユダヤ人でさえ、同化するという力を日本列島は持っているのだということですね。しかも、我々が日本の伝統文化だと思っている神社も、実はユダヤ人の発想なのです。もともとの日本人は伝統的に岩や山、木や川がご神体であって、神社というような建物は造らなかったのです。このような発想はユダヤ人の発想です。

それが、今や日本に根付いています。それでいいわけです。我々は何の疑問も抱かない、日本人は無意識にそういうものを受け入れています。

だから、現在、ユダヤ人が日本に来ると日本とユダヤ人の習慣が似ているのを感じるのです。アインシュタインも、「世界はいずれ日本に感謝する」「日本という国が残ってくれることに感謝するだろう」と話しています。

私は、この言葉は、単に日本をほめてくれている言葉だと思っていましたが、田中先生が書かれた文献を読んで、美辞麗句ではなく、彼らも日本人の中にユダヤ人の痕跡を見ていたのだとわかりました。

このことは、まだまだ一般の人々に浸透するには時間がかかるでしょうが、浸透すれば、世界史がひっくり返ることになると思います。そういう時代がいよいよ来るのかなと思えば、私も長生きしなくていけないと思っています。

松田　私は、21世紀は、日本が覇権的なパワーではなく、自然なかたちで拡散する影響力ということで、世界をリードするようになると思います。そうした文明の転換期を世界は迎えているのではないかと考えています。そのような意味で、ユダヤもそうですが、世界中からさまざまなものを取り入れながら、己のものにして世界に発信してきた日本の歴史こそが、これからの日本の在り方を示唆していると考えています。世界がそうした日本を求める時代に入っていくのではないかと思います。

馬渕　おっしゃる通りです。ユダヤ人と言えば、すべてグローバリストと思っていますが、それは間違いです。ディアスポラ（イスラエルを離れて異郷の地で離散して暮らすユダヤ人）の一部がグローバリストに過ぎません。ユダヤ人にはグローバリストのネオコンもいますが、それは一部で、もともとユダヤ人は国を持っていたのです。それが滅ぼされ、国を再建し、また国を滅ぼされ、そのたびに世界に散らばっていきました。その人々がシルクロードに行き、最終的に日本にやって来た、というのは、なんら不思議ではありません。

私も旧約聖書の記述と、古事記の記述がものすごく似ていることが、以前から気になっていました。モーゼが奴隷になっていたユダヤ人を率いて、故郷のパレスチナに帰ります。旧約聖書の出エジプト記です。その時にシナイ半島、小さな半島です。エジプトとイスラエルの間。そこを40年間、さまよったと書かれています。

私は不思議に思いました。2～3日歩けば行けるような距離のところを、なぜ40年間もさまよったのか。この40年という数字が正しいとすれば、その間にかなりのユダヤ人が日本に行っていたとしても不思議ではありません。モーゼも日本に来ているかもしれません。石川県にはモーゼが来たという言い伝えがあり、公園（モーゼパーク伝説の森公園）もあります。旧約聖書と古事記を読み比べれば、日ユ同化論というのは、決して荒唐無稽な話ではないとわかると思います。

松田　日ユ同祖論ではなくて、同化論ですね。

馬渕　そうです。それが大事なのです。

松田　グローバリズム批判というのは、ユダヤ人とか特定の民族的な集団を批判するのではなくて、グローバリズムという考え方や行動様式を批判しているのです。このことは、今の話でも裏付けられると思います。グローバリズムをやっている連中とユダヤ人とが重なる部分があるかもしれませんが、だからといって、ユダヤ人＝グローバリズムではありませんし、反ユダヤではないのです。

編集部　馬渕睦夫先生、松田学先生、ありがとうございました。

主な参考文献など（編集部）

『宝島SUGOI文庫　世界最終戦争の正体』（馬渕睦夫、宝島社、2022年）
『世界を操る支配者の正体』（馬渕睦夫、講談社、2014年）
『馬渕睦夫が読み解く2022年世界の真実　静かなる第三次世界大戦が始まった』（馬渕睦夫、WAC、2021年）
『ウクライナ紛争　歴史は繰り返す　戦争と革命を仕組んだのは誰だ』（馬渕睦夫、WAC、2022年）
『ディープステート　世界を操るのは誰か』（馬渕睦夫、WAC、2021年）
『日本を蝕む　新・共産主義　ポリティカル・コレクトネスの欺瞞を見破る精神再武装』（馬渕睦夫、徳間書店、2022年）
『道標　日本人として生きる』（馬渕睦夫、ワニブックス、2022年）
馬渕睦夫［ひとりがたり］（YouTube）
『新型コロナ騒動の正しい終わらせ方』（井上正康・松田学、方丈社、2021年）
『日本をこう変える　世界を導く「課題解決型国家」の創り方』（松田学、方丈社、2022年）
『マスクを捨てよ、町へ出よう　免疫力を取り戻すために私たちができること』（井上正康・松田学、方丈社、2022年）
「馬渕大使に訊く、日本はグローバリズムといかに対峙していくべきか」（松田政策研究所チャンネル―YouTube）

著者プロフィール

馬渕睦夫（まぶち むつお）

1946年、京都府生まれ。京都大学法学部3年在学中に外務公務員採用上級試験に合格し、68年外務省に入省。71年、研修先のイギリス・ケンブリッジ大学経済学部卒業。2000年、駐キューバ大使。05年、駐ウクライナ兼モルドバ大使を経て、08年外務省退官。同年防衛大学校教授に就任し、11年退職。主な著書に『ディープステート　世界を操るのは誰か』『ウクライナ紛争　歴史は繰り返す　戦争と革命を仕組んだのは誰だ』（共にWAC）、『日本を蝕む　新・共産主義　ポリティカル・コレクトネスの欺瞞を見破る精神再武装』（徳間書店）など多数。

松田 学（まつだ まなぶ）

1957年、京都府生まれ。東京大学経済学部卒。81年大蔵省入省。西ドイツ留学後、主として経済財政政策を担当。内閣審議官、財務本省課長、東京医科歯科大学教授等を経て2010年政界進出のため退官。12年衆議院議員。15年東京大学大学院客員教授。参政党前代表。現在、松田政策研究所代表ほか多数の役職に従事。著書は『TPP興国論』（KKロングセラーズ）、『国力倍増論』（創藝社）、『いま知っておきたい「みらいのお金」の話』（アスコム）、『日本をこう変える』『日本再興経済篇』（ともに方丈社）など多数。共著に『永久国債の研究』（光文社）、『マスクを捨てよ、町へ出よう』（方丈社）などがある。

スタッフ
企画／唐沢康弘
編集部／小林大作、中尾緑子
装丁／妹尾善史（lsndfish）
本文デザイン&DTP／（株）ユニオンワークス

宝島社新書

日本を危機に陥れる黒幕の正体 最新版

(にほんをききにおとしいれるくろまくのしょうたい さいしんばん)

2023年10月24日　第1刷発行

著　者　馬渕睦夫　松田 学

発行人　蓮見清一

発行所　株式会社　宝島社

〒102-8388 東京都千代田区一番町25番地

電話：営業　03(3234)4621

編集　03(3239)0927

https://tkj.jp

印刷・製本　中央精版印刷株式会社

First published 2022 by Takarajimasha, Inc.

ISBN 978-4-299-04802-8